Mon cahier de
Français

CYCLE 4

Sous la direction d'Évelyne Ballanfat

Coralie Doux-Pouget
Professeure au lycée
Jean-Baptiste Corot,
Douai (59)

Maud Varbédian-Lapoussière
Professeure au collège
Antoine de Saint-Exupéry,
Rosny-sous-Bois (93)

Myriam Dufour
Professeure au collège Jean Jaurès,
Lomme (59)

Séverine Yvon
Professeure au collège Jules Verne,
Neuville-en-Ferrain (59)

Les auteurs remercient pour leurs relectures et suggestions
tous les enseignants qui ont participé aux études menées sur ce cahier.

Nom ....

....

Prénom ....

Classe ....

Programme 2016

Ce cahier applique les recommandations
orthographiques de 1990, mentionnées
dans le BO n° 11 du 26 novembre 2015.
Seuls les extraits d'œuvres littéraires
n'ont pas été modifiés.

MAGNARD
www.magnard.fr

TUTO VIDÉO

lienmini.fr/jdl-002
Saisissez cette adresse sur votre navigateur pour apprendre à créer **votre propre carte mentale.**

Forme et étymologie
• du latin *amor*
• devient féminin au pluriel
Connaitre ses premières amours

Mots de la même famille
adverbes : *amoureusement,*
aimablement, amicalement
adjectifs : *aimant, amant,*
amical, amoureux, aimable
verbes : *aimer, s'amouracher*
noms : *amitié, amabilité*

Antonymes
mots de sens contraire
haine, inimitié,
désamour

**champ
lexical**

Synonymes
mots de sens proche
attachement, affection,
tendresse, passion

**Le mot :
AMOUR**

Hyperbole
exagération
aimer à perdre la raison
(L. Aragon)

Polysémie
sens propres :
• **sentiment d'affection**
Roméo éprouve un amour
soudain pour Juliette.
• **personne aimée**
J'arrive, mon amour !
sens figurés :
• **personne qui a de nombreuses**
qualités et qu'on ne peut
qu'aimer
Cet enfant est un amour.
• **attachement à une valeur**
L'amour de la vérité, de la justice

Métaphore
rapproche deux éléments
sans mot de comparaison
L'amour est une étoffe tissée
par la nature et brodée
par l'imagination. (Voltaire)

Comparaison
rapproche deux éléments avec un mot de comparaison
L'amour ressemble à l'amitié : il en est, pour ainsi dire, la folie
(Sénèque)

Couverture : Marc & Yvette (maquette), Juliette Baily (illustrations)
Création maquette intérieure : Aude Cotelli   Mise en pages : STDI
Illustrations : Frédérique Rich
Responsables d'édition : Mirna Bousser, Aurélie Joubert-Mérandat
Édition : Isabelle Dubois   Relecture : Vanessa Colnot

© Magnard – Paris, 2017 – 5, allée de la 2e D.B. – 75015 Paris
www.magnard.fr – ISBN : 978-2-210-10766-3
Achevé d'imprimer en mars 2019 par IPS en France
Dépôt légal : AVRIL 2017 – N° éditeur : 2018_0954

Sommaire

Le lexique

Ce que je sais déjà faire Les mots et leur sens 6
1 Les préfixes et les suffixes 8
2 Les familles de mots 10
3 Le sens propre et le sens figuré 12
4 Le vocabulaire mélioratif et péjoratif 14
Pédagogie différenciée Comprendre des mots en contexte 16

Ce que je sais déjà faire Les indices lexicaux 18
5 Les genres et registres littéraires 20
6 Le lexique de la poésie 22
7 Les figures de style : les images 24
8 Les figures de l'insistance 26
9 Le vocabulaire des sentiments 28
10 L'expression des qualités physiques et morales 30
11 Le vocabulaire du réalisme et du fantastique 32
12 Le vocabulaire des médias 34
Pédagogie différenciée Construire le sens d'un texte 36

Autour du nom

Ce que je sais déjà faire Du nom au groupe nominal 38
13 ORTHO Les accords dans le GN 40
14 Les déterminants et les pronoms indéfinis 42
15 ORTHO Le pluriel des noms composés 44
16 Les expansions du nom 46
17 La proposition subordonnée relative 48
18 L'apposition 50
Pédagogie différenciée Employer des expansions du nom 52

Le verbe

Ce que je sais déjà faire Le verbe et ses compléments 54
19 Les compléments essentiels 56
20 Les adverbes 58
21 Les verbes attributifs 60
22 Les verbes transitifs et intransitifs 62
23 La voix active et la voix passive / Le complément d'agent 64
24 La forme pronominale 66
Pédagogie différenciée Reconnaitre les constructions verbales 68

Ce que je sais déjà faire Le sujet et son verbe 70
25 ORTHO Les particularités des verbes du 3ᵉ groupe 72
26 ORTHO Les accords complexes sujet-verbe 74
27 Les temps composés de l'indicatif 76
28 ORTHO Les accords du participe passé 78
29 Le conditionnel présent 80
30 Le subjonctif présent 82
Pédagogie différenciée Maitriser l'accord sujet-verbe 84

La phrase

Ce que je sais déjà faire La structure d'une phrase 86
31 Les compléments de phrase 88
32 La phrase complexe 90
33 Les conjonctions de coordination et de subordination 92
34 L'emploi du subjonctif dans les propositions subordonnées conjonctives 94
35 Les propositions subordonnées circonstancielles de temps 96
36 Les propositions subordonnées circonstancielles de cause et de conséquence 98
Pédagogie différenciée Maitriser la phrase complexe 100

Le texte

Ce que je sais déjà faire Récit et discours 102
37 Les repères spatio-temporels 104
38 Les connecteurs logiques 106
39 La situation d'énonciation 108
40 Les reprises pronominales 110
41 Les paroles rapportées (1) : reconnaitre les discours direct et indirect 112
42 Les paroles rapportées (2) : employer les discours direct et indirect 114
43 Les points de vue 116
44 Exprimer un avis, une opinion, un jugement 118
Pédagogie différenciée Construire un récit 120

Méthode pour écrire

• Écrire la suite d'un récit réaliste 122
• Faire parler les personnages 124
• Développer un récit réaliste 126

Tableaux de conjugaison 128

Programme d'enseignement du cycle des approfondissements (cycle 4) – Français

Bulletin officiel n° 11 du 26 novembre 2015

L'enseignement du français joue au cycle 4, comme dans les cycles précédents, un rôle décisif dans la réussite scolaire, tant pour le perfectionnement des compétences de lecture et d'expression utilisées dans tous les champs de la connaissance et de la vie sociale que pour l'acquisition d'une culture littéraire et artistique.

Au cycle 3, les élèves ont développé des capacités à lire, comprendre et interpréter des documents de natures diverses, particulièrement des textes littéraires. Ils ont enrichi leurs compétences de communication et d'expression, écrites et orales, dans des situations de plus en plus complexes, structurant leurs connaissances et élaborant une pensée propre. Ils sont entrés dans une **étude de la langue** explicite et réflexive, au service de la compréhension et de l'expression.

L'enseignement du français en cycle 4 constitue une étape supplémentaire et importante dans la construction d'une pensée autonome appuyée sur **un usage correct et précis de la langue française**, le développement de l'esprit critique et de qualités de jugement nécessaires au lycée.

La compétence « Comprendre le fonctionnement de la langue » correspond aux domaines 1 et 2 du socle commun.

Le programme Compétences linguistiques : étude de la langue BO spécial n° 11 du 26 novembre 2015	Dans le cahier
Connaitre les aspects fondamentaux du fonctionnement syntaxique	
• Fonctionnement de la phrase simple	Leçons p. 42, 50, 56, 58, 88, 110 J'évalue mes acquis p. 68.
• Fonctionnement de la phrase complexe	Leçons p. 90, 92, 96, 98, 106 J'évalue mes acquis p. 100.
• Rôle de la ponctuation	Leçons p. 22, 24, 26, 112, 114 Méthode p. 124.
Connaitre les différences entre l'oral et l'écrit	
• Aspects syntaxiques à l'oral et à l'écrit	Leçons p. 108 à 115
• Formes orales et formes graphiques	Leçon p. 112, 114 – Méthode p. 124.
• Aspects prosodiques et organisation du texte à l'oral et à l'écrit	Leçons p. 22 à 27.
Maitriser la forme des mots en lien avec la syntaxe	
• Connaitre le fonctionnement des chaines d'accord	Leçons p. 12, 14, 20 à 34, 40 à 46 J'évalue mes acquis p. 52.
• Savoir relire un texte écrit	Leçons p. 48, 50, 74, 78, 108, 110.
Maitriser le fonctionnement du verbe et son orthographe	
• Mise en évidence du lien sens-syntaxe	Leçons p. 60 à 66, 110.
• Maitrise de la morphologie verbale écrite	Leçons p. 72, 76 à 82 J'évalue mes acquis p. 84.
• Mise en évidence du lien entre le temps employé et le sens (valeur aspectuelle)	Leçons p. 64, 76, 94.
• Mémorisation de formes verbales	Leçons p. 76, 80, 82.
Maitriser la structure, le sens et l'orthographe des mots	
• Observations morphologiques	Leçons p. 8, 10.
• Mise en réseau de mots	Leçons p. 12, 14, 28, 30.
• Analyse du sens des mots	Leçons p. 12, 14, 62 J'évalue mes acquis p. 16.
• Utilisation de différents types de dictionnaires	Leçon p. 12.
Construire les notions permettant l'analyse et la production des textes et des discours	
• Observation de la variété des possibilités offertes par la langue	Leçons p. 20, 32, 34, 112 à 118.
• Prise en compte des caractéristiques des textes lus ou à produire	Leçons p. 20, 32, 34, 42, 66, 104, 106, 108, 112 à 119 – J'évalue mes acquis p. 36 et p. 120 – Méthodes p. 122 et p. 126.

L'évaluation des compétences dans le cahier

Dans le cahier, le travail sur les compétences est progressif et permet de bien ancrer les connaissances.
À chaque étape, l'élève est impliqué dans l'évaluation.

❶ Réactiver des connaissances et compétences acquises

Dans les pages Ce que je sais déjà faire :
– **Je révise ce que j'ai déjà appris.**
– **Je me prépare aux leçons qui suivent.**
– **Je vérifie ce que je sais.**

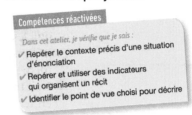

Compétences réactivées

Dans cet atelier, je vérifie que je sais :

✔ Repérer le contexte précis d'une situation d'énonciation
✔ Repérer et utiliser des indicateurs qui organisent un récit
✔ Identifier le point de vue choisi pour décrire

Je coche si j'ai utilisé une aide de la boite à outils.

❷ Acquérir de nouvelles connaissances et compétences

Dans les leçons, **j'apprends de nouvelles connaissances et compétences.**

Connaissances et compétences visées

Dans cette leçon, je vais apprendre à :

✔ Identifier les repères spatio-temporels
✔ Comprendre la valeur des repères spatio-temporels
✔ Organiser un récit par l'emploi d'indices de temps et de lieu

Je complète le smiley en fin de page.

❸ Réinvestir les connaissances et compétences

Dans les bilans « pédagogie différenciée » :
– J'avance à mon rythme en choisissant le groupe 1, 2 ou 3.
– J'évalue mes acquis en complétant le smiley.

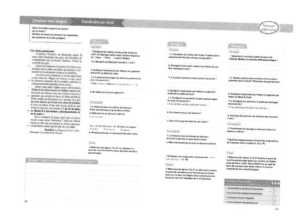

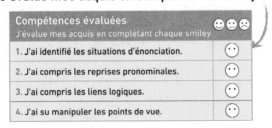

Compétences évaluées
J'évalue mes acquis en complétant chaque smiley.

1. J'ai identifié les situations d'énonciation.	☺
2. J'ai compris les reprises pronominales.	☺
3. J'ai compris les liens logiques.	☺
4. J'ai su manipuler les points de vue.	☺

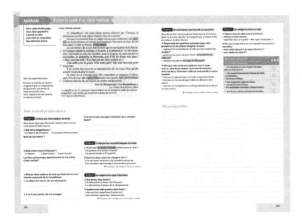

Dans les Méthodes, **je réinvestis l'ensemble des leçons travaillées.**

La production d'écrits est progressive :
régulière dans les leçons, à contraintes dans les Bilans
et plus développée dans les Méthodes.

• Dans cette double page, vous allez **réviser** ce que vous avez déjà appris pour vous **préparer** aux leçons qui vont suivre.

• **Lorsque vous en avez besoin**, vous pouvez consulter la *Boîte à outils* et cocher au fur et à mesure les outils que vous avez utilisés.

Tout cela vivait <u>péniblement</u> de soupe, de pommes de <u>terre</u> et de **grand** air. À sept heures, le **matin**, puis à midi, puis à six heures, le soir, les ménagères réunissaient leurs mioches pour <u>donner</u> la pâtée, comme des gardeurs d'oies assemblent leurs
5 **bêtes**. Les **enfants** étaient assis, par **rang** d'âge, devant la table en bois, vernie par cinquante ans d'usage. Le dernier moutard avait à peine la bouche au niveau de la planche. On posait devant eux l'assiette creuse pleine de pain **molli** dans l'eau où avaient cuit les pommes de terre, un demi-chou et <u>trois</u> oignons ; et toute
10 la lignée mangeait jusqu'à plus **faim**. La mère empâtait elle-même le petit. Un peu de viande au pot-au-feu, le dimanche, était une **fête** pour tous, et le père, ce jour-là, s'attardait au repas en répétant : « Je m'y ferais bien tous les **jours**. »

G. de Maupassant, « Aux Champs », 1882.

Ce que je peux savoir avant de lire l'extrait

a. Le texte est un extrait de :
○ poème
○ récit
○ pièce de théâtre
○ discours

Boîte à outils 1

b. Dans quel milieu social se déroule l'action de la nouvelle de Maupassant ?

....

....

....

Boîte à outils 2

Je vérifie ma compréhension de l'extrait

c. Quelle scène quotidienne est décrite ?

....

....

d. Que nous apprend-elle sur le niveau social des familles ?

....

....

e. À quoi les enfants sont-ils comparés ?

....

....

....

1   Je sais reconnaitre la composition des mots

a. Reconstituez six mots du texte avec ces éléments mélangés.

pénible-   -ères   gard-   us-   ménag-   at-   -ment   -ée   -age   -tardait   -eurs   lign-

....

....

b. Observez les mots en gras dans le texte. Ajoutez-leur un préfixe et/ou un suffixe de votre choix et précisez entre parenthèses la classe grammaticale des mots obtenus.

....

....

Boîte à outils 3

Compétences réactivées

Dans cet atelier, je vérifie que je sais :
✔ Reconnaitre la composition des mots
✔ Créer des familles de mots
✔ Comprendre le sens d'un mot dans son contexte

2   Je sais créer des familles de mots

a. Créez des familles de cinq mots à partir des mots soulignés dans le texte.

1. péniblement : ....

2. terre : ....

3. donner : ....

4. trois : ....

Boite à outils **4**

b. Avez-vous dû modifier parfois l'orthographe du radical ?
○ oui   ○ non

c. Qu'avez-vous le plus utilisé ?
○ des préfixes   ○ des suffixes

d. Les mots que vous avez trouvés appartiennent-ils tous à la même classe grammaticale ?
○ oui   ○ non

3   Je comprends le sens d'un mot dans son contexte

a. Entourez dans le texte des synonymes d'« enfants ».

b. À quel niveau de langue appartiennent-ils ?
○ familier   ○ courant   ○ soutenu

c. Trouvez un synonyme du verbe « empâter ». (l. 10) ....

d. Pourquoi, selon vous, le narrateur a-t-il utilisé ce niveau de langue ?

....

....

Boite à outils **5**

➡ **Boite à outils** ⬅

○ **1** La mise en page d'un texte aide à identifier le genre littéraire.
Ici, la prose, le paragraphe, l'alinéa et l'insertion de guillemets sont de précieux indices.

○ **2** Certains titres situent le cadre de l'action. Le nom de l'auteur et son siècle renvoient à un courant littéraire, ici le réalisme.

○ **3** Un mot est composé d'un radical auquel peuvent s'ajouter préfixes et suffixes. Ces derniers modifient souvent la classe grammaticale du mot.

○ **4** Les préfixes et les suffixes changent. Attention, l'orthographe d'un radical peut varier aussi.

○ **5** Le contexte précise le sens d'un mot. Ici, les références aux animaux de ferme sont nombreuses.

Les préfixes et les suffixes

J'observe et je manipule

1 **a. Voici quatre types de préfixe :** dé- , de- , en- , em- . **Soulignez-les dans les mots suivants :**

1. démontrer   **2.** demandera   **3.** s'enfuyant   **4.** emprisonner   **5.** entraient

b. Barrez dans la liste l'intrus qui ne contient pas de préfixe.

c. Trouvez des mots à partir des suffixes suivants :

1. -éenne : ....   **2.** -oïde : ....

3. -iale : ....   **4.** -ique : ....

bilan **Proposez un mot composé à partir du radical -port- auquel vous ajouterez un préfixe et un suffixe.**

.... -port- ....

2 **a. Reconstituez les mots suivants dont les éléments ont été mélangés :**

1. coup dé age re ....

2. lement en soleil ....

3. ap ré nement provision ....

b. Coloriez l'élément central à partir duquel chaque mot a été formé.

bilan **Soulignez le préfixe des mots suivants, puis reliez chaque mot au sens de son préfixe.**

1. impossible •   • répétition
2. désactivation •   • privation
3. réinventer •   • action
4. encercler •   • contraire

3
Ce **passage** a trente pas de long et deux de large, au plus ; il est pavé de dalles **jaunâtres**, usées, **descellées**[1], suant **toujours** une **humidité** âcre ; le **vitrage** qui le couvre, coupé à angle droit, est noir de crasse.

É. **Zola**, *Thérèse Raquin*, 1867.
1. détachées du sol.

a. Parmi les mots en gras dans le texte, soulignez ceux qui contiennent un suffixe et surlignez ceux qui contiennent un préfixe.

b. Lequel de ces deux mots a un sens péjoratif ?
○ jaune   ○ jaunâtre

c. Trouvez deux adjectifs de couleur sur le modèle de « jaunâtre ».

....

bilan **Transformez la phrase suivante de manière à utiliser un adjectif avec un suffixe.**

| Il montre sa joie. | Il .... |

Je retiens

1. Les **mots dérivés** sont composés d'un élément commun, le **radical** auquel on ajoute un **préfixe** et/ou un **suffixe**.

2. Le **préfixe précède le radical**. Il **change le sens du radical** mais ne change pas sa classe grammaticale.

3. Le **suffixe s'ajoute à la fin du radical**. Il s'agit d'un élément variable qui **peut modifier la classe grammaticale** du mot.

```
                         Mot dérivé
        ┌──────────────┬──────────┬──────────────┐
        Préfixe        Radical    Suffixe
        • Avant                   • Après
        le radical                le radical
        • Invariable              • Variable
```

Mes exemples Écrivez trois mots. Entourez le radical, soulignez en vert le préfixe et en rouge le suffixe.

1. ....   **2.** ....   **3.** ....

Je repère le préfixe et le suffixe d'un mot

4 * **Entourez le radical de ces mots.**
Soulignez les préfixes en vert.
Soulignez les suffixes en rouge.

1. franchement
2. apercevoir
3. déroulement
4. discontinuité
5. aimable
6. arrondi
7. parapluie
8. malhabile
9. effeuiller
10. injustement

5 ** **Classez les mots suivants dans le tableau.**

retard • fleuriste • intercalaire • continuité • bonheur • légalement • irrégularité • recommencement • rapport

Construit avec un préfixe	Construit avec un suffixe	Construit avec un préfixe + un suffixe

Je donne du sens au préfixe et au suffixe d'un mot

6 * **Surlignez le préfixe des quatre mots.**
Reliez chaque mot au sens de son préfixe.

1. paratonnerre •
2. octogonal •
3. interstellaire •
4. rétrograder •

• en arrière
• entre
• huit
• contre

7 * **Soulignez le suffixe des quatre mots.**
Reliez chaque mot au sens de son suffixe.

1. surmenage •
2. lentement •
3. opération •
4. risible •

• manière (adverbe)
• action (nom)
• capacité (adjectif)

8 a. * **ORTHO** **Donnez le contraire de chaque mot de la liste en ajoutant un préfixe.**

Dérivé avec préfixe	Liste de mots	Dérivé avec suffixe
illégal	légal	légalité
	ordonné	
	symétrique	
	illusion	
	poli	
	loyal	

b. * **Proposez un mot dérivé en ajoutant un suffixe à chaque mot de la liste.**

J'identifie la classe grammaticale d'un mot composé d'un préfixe et/ou d'un suffixe

9 a. * **Complétez le texte en ajoutant les préfixes ou suffixes qui conviennent.**

Une terreur _____ surmont _____ s' _____ para de moi, mes cheveux se hérissèrent sur mon front, mes **dents** s' _____ choquèrent à se briser, une su _____ **froide** inonda tout mon **corps**.

T. Gautier, *La Cafetière*, 1831.

b. * **Précisez la classe grammaticale des quatre mots que vous avez complétés.**

1. _____
2. _____
3. _____
4. _____

c. ** **Pour chaque mot en gras dans le texte, proposez un mot dérivé avec un suffixe et précisez sa classe grammaticale.**

1. _____
2. _____
3. _____

J'applique ce que j'ai appris pour écrire (··)

Faites le portrait d'un personnage en utilisant les mots : grimacer, squelettique, terrifiant, boitillement, globuleux.

_____
_____
_____
_____
_____
_____
_____
_____
_____
_____
_____
_____
_____
_____
_____

2 Les familles de mots

Connaissances et compétences visées

Dans cette leçon, je vais apprendre à :
✔ Identifier les mots ayant le même radical
✔ Construire des familles de mots

J'observe et je manipule

1

Vous demandez si l'amour rend heureuse ;
Il le promet, croyez-le, fût-ce un jour.
Ah ! pour un jour d'existence amoureuse,
Qui ne mourrait ? la vie est dans l'amour.

Quand je vivais tendre et craintive amante,
Avec ses feux je peignais ses douleurs […].

> **M. Desbordes-Valmore,**
> « L'Amour », *Mélanges*, 1830.

a. Soulignez, dans la première strophe du poème, deux mots de la même famille construits à partir du même radical.

b. Entourez, dans la 2ᵉ strophe du poème, un troisième mot appartenant à cette même famille.

bilan Que remarquez-vous sur l'orthographe de ces mots ? ....
....

2 a. Associez chaque liste à la proposition A ou B. Vous pouvez vous aider d'un dictionnaire pour les mots que vous ne connaissez pas.

1. douleur, pleurs, souffrance •

2. vent, éventail, éventer •

3. nom, nominatif, surnom •

4. feu, brulant, ardent •

• **A.** mots appartenant au même champ lexical

• **B.** mots de la même famille

b. Complétez les séries de la même famille en leur ajoutant deux mots.

....

bilan Proposez deux autres familles de votre choix, composées de trois mots chacune.

1. ....

2. ....

3 Complétez les définitions suivantes avec des mots de la même famille.

HARMONIE

1. État d'une relation entre plusieurs personnes qui parviennent à harmon............ leurs caractères.
2. Union de plusieurs éléments qui s'accordent et s'équilibrent harmon............ .
3. Ensemble de sons harmon............, agréables à l'oreille.

POÈTE

1. Écrivain qui compose des vers et des po............ .
2. Artiste ou auteur dont les créations touchent par leur dimension po............ .
3. Personne rêveuse qui perçoit la réalité avec imagination et po............ .

Je retiens

1. Une **famille de mots** regroupe tous les mots qui ont le même radical, ils sont donc unis par leur **radical** et par leur **sens**.

2. Le radical peut parfois subir des **modifications orthographiques** d'un mot à l'autre.

3. Certaines familles de mots sont dites « **élargies** » lorsqu'elles rassemblent des mots formés autour de radicaux qui ont le même sens, mais qui sont empruntés à des langues différentes (**grecque** et **latine**, par exemple).

Mon exemple Écrivez une famille de mots à partir du nom *jour*.

Famille de mots

• **Mots issus du même radical**
• Variation orthographique possible

• **Mots issus d'un radical différent mais de même sens**
• Famille élargie : mots parfois d'origine étrangère

jour • .... • .... • .... • ....

Je retrouve les mots d'une même famille

4 * **Barrez l'intrus qui s'est glissé dans les familles de mots ci-dessous.**

1. mentir, mensonge, menteur, démentir, mentalité

2. détonation, ton, tonneau, monotone, tonitruant

3. démarche, marcheur, marchand, marcher

4. survoler, vol, cerf-volant, volontaire, volage

5 ** **Distinguez les deux familles de mots mélangées dans chaque liste en les soulignant de deux couleurs différentes.**

1. porter, portail, portier, portable, apport

2. ouvrier, ouvrir, chef-d'œuvre, ouvrage, manœuvre, ouvertement

3. pédestre, pied, pédiatre, piéton, pédicure, pédiatrie, pédopsychiatre

4. équitation, équestre, équilibre, équité, équidé, équilibrage

5. peuple, populaire, peuplier, popularité, peupleraie

6 *** **Complétez le tableau par des mots de la même famille.** *Attention, vous devez respecter les classes grammaticales données.*

Nom	Adjectif	Verbe	Adverbe
grandeur			
	libre		
		tranquilliser	
			fortement
bravoure			
	peureux		
		admirer	
			petitement

Je construis des familles de mots

7 * **Associez chaque nom à un adjectif de la même famille.** *Attention certaines familles sont élargies.*

forêt •   • trimestre
chair •   • aquatique
eau •   • diurne
semaine •   • carnassier
trois •   • forestier
jour •   • hebdomadaire
machine •   • mécanique

8 ** **Reliez les mots de chaque liste de manière à constituer une famille élargie.**

timbre •   • urbain
lettre •   • gastrique
estomac •   • épistolaire
cœur •   • méridienne
ville •   • cardiaque
midi •   • hippodrome
cheval •   • philatélie

J'enrichis mon vocabulaire

9 *** **ORTHO** **Constituez des familles de trois mots à partir du nom proposé. Aidez-vous des différentes formes de radical.**

1. main (-mani-, manu-, men-) :

....

2. cheval (cheval-, caval-) :

....

3. grain (grain-, gren-, gran-) :

....

4. froid (froid-, frigor-, -frigér-) :

....

J'applique ce que j'ai appris pour écrire

Inventez une courte histoire. Votre texte doit contenir quatre mots appartenant à une même famille. Vous pouvez choisir votre famille parmi les listes présentes dans cette page.

3 Le sens propre et le sens figuré

Connaissances et compétences visées

Dans cette leçon, je vais apprendre à :
- ✔ Distinguer le sens propre et le sens figuré d'un mot
- ✔ Comprendre le sens d'un mot dans son contexte
- ✔ Construire des expressions figurées

J'observe et je manipule

1

Ô longs désirs, ô espérances vaines,
Tristes soupirs et larmes coutumières
À engendrer de moi maintes rivières,
Dont mes deux yeux sont sources et fontaines !

L. Labé, *Sonnets*, 1562.

a. Soulignez les mots du poème qui renvoient à « *l'eau* ».

b. Dans la réalité, les larmes peuvent-elles se transformer en « *rivières* », en « *sources* » et en « *fontaines* » ?

○ Oui   ○ Non

bilan Comment expliquez-vous alors l'emploi de ces mots dans le poème ?

....

....

2 Reliez les expressions au sens qui convient.

Faire la pluie et le beau temps. •

Se ressembler comme deux gouttes d'eau. •

Ne pas être tombé de la dernière pluie. •

Tomber des cordes. •

Être ennuyeux comme la pluie. •

• Se ressembler énormément.

• Être tout puissant.

• Être terriblement ennuyeux.

• Pleuvoir à verse.

• Avoir de l'expérience.

3

Une jeune fille se promène dans le supermarché imaginaire d'Hyperpolis.

Au-dessus d'elle, au-dessus de tout le monde, il y avait un plafond immense, qui **couvrait** Hyperpolis. Il tenait en équilibre sur des colonnes de béton blanc. Sur le plafond, comme des éclairs, **couraient** des tubes de néon, et c'était d'eux que **venait** la lumière. La jeune fille **regardait** le plafond de temps en temps, tandis qu'elle **marchait**. C'était une sorte de miroir terne, qui **engloutissait** les mouvements et les gestes au lieu de les refléter.

J.-M.-G. Le Clézio, *Les Géants*, Gallimard, 1973.

Classez les verbes en gras dans le tableau selon leur signification.

Sens premier	Sens imagé

bilan Que veut exprimer le narrateur par les sens imagés ?

....

....

....

Je retiens

1. Un mot peut avoir **plusieurs sens**. On parle alors de **polysémie**.

2. Le sens propre et le sens figuré d'un mot font partie de sa polysémie :
   - le **sens propre** correspond au **sens premier** du dictionnaire.
   - le **sens figuré** est un **sens imagé**.

3. Le **contexte** de la phrase permet de déterminer si l'emploi d'un mot correspond à son sens propre ou figuré.

Sens d'un mot

Sens propre
Sens premier donné par le dictionnaire

Sens figuré
Sens imagé qui provient d'une comparaison ou d'une métaphore

Mes exemples Rédigez deux phrases en utilisant le verbe *tomber*, l'une au sens propre (1), l'autre au sens figuré (2).

1. ....

2. ....

Je distingue le sens propre et le sens figuré

4 a. * Surlignez les mots employés au sens figuré dans les phrases suivantes.

1. J'ai reçu une avalanche de lettres. _____

2. Ses paroles sont un tissu de mensonges. _____

3. Il récoltera les fruits de ses efforts. _____

4. Elle ne doit pas perdre pied. _____

b. ** Remplacez les mots surlignés par des synonymes de sens propre.

Je comprends le sens d'un mot dans son contexte

5 a. * Reliez les phrases à la définition du mot souligné.

Ce carton est lourd. •   • difficile et de grande importance

Le temps est lourd. •   • sans air et humide

Arrête de plaisanter, tu es vraiment trop lourd ! •   • d'un poids important

Il a le cœur lourd. •   • insistant et agaçant

Il m'a confié une lourde tâche. •   • malheureux

Le style de cet écrivain est lourd. •   • maladroit et répétitif

b. * Surlignez la seule phrase où l'adjectif « lourd » est utilisé au sens propre.

6
Les **sanglots** longs
Des violons
De l'automne
Blessent mon cœur
D'une langueur
Monotone [...]

    P. Verlaine, « Chanson d'automne »,
    Poèmes saturniens, 1866.

* Cochez la bonne réponse.

Le poète entend de vrais violons.   ○ Vrai   ○ Faux

Le cœur du poète est blessé physiquement.
○ Vrai   ○ Faux

L'automne est personnifié.   ○ Vrai   ○ Faux

Le poète est triste.   ○ Vrai   ○ Faux

Les mots en gras dans le poème sont au sens propre.
○ Vrai   ○ Faux

Je construis des expressions figurées

7 * Associez chaque nom à l'adjectif qui lui revient.

un échec •   • savoureux/se

une note •   • cuisant/e

une plaisanterie •   • salé/e

un accueil •   • délicieux/se

une pensée •   • noir/e

une personne •   • glacial/e

8 ** Trouvez une expression figurée avec chaque nom.

1. tête : _____

2. jambe : _____

3. dent : _____

4. yeux : _____

5. main : _____

6. bras : _____

J'applique ce que j'ai appris pour écrire ☺

Employez chaque mot de la liste au sens propre puis au sens figuré dans deux phrases distinctes.
Liste : *lumière, mortel, sombre, montagne.*

4 Le vocabulaire mélioratif et péjoratif

Connaissances et compétences visées

Dans cette leçon, je vais apprendre à :

✔ Reconnaitre et exprimer un jugement de valeur

✔ Observer le contexte pour comprendre le sens d'un mot

J'observe et je manipule

1

incapable	dévoué	inhumain
hypocrite	gracieux	loyal	abominable
lâche	intrépide	généreux

a. Reliez les mots selon leur signification. Deux séries doivent apparaitre.

b. Donnez un titre à chaque série.

1. ....

2. ....

2 Vous vous vantez de posséder deux expressions pour signifier **gourmand** ; mais daignez plaindre, Monsieur, nos **gourmands**, nos **goulus**, nos **friands**, nos **mangeurs**, nos **gloutons**. Vous ne connaissez que le mot *savant* ; ajoutez-y, s'il vous plaît, **docte**, **instruit**, **érudit**, **éclairé**, **habile**, **lettré**.

Voltaire, « Lettre à M. Deadato de Tavazzi », 24 janvier 1761.

Classez les mots en gras dans le tableau.

Sens positif	Sens négatif	Sens neutre

3 **1.** Sa langue était grosse et sèche comme une langue de bœuf […]. Il avait les yeux petits et battus, quoiqu'ils fussent fort enfoncés, […] les cheveux noirs et gras […].

A. Furetière, *Le Roman bourgeois*, 1666.

2. Tartuffe ? Il se porte à merveille, Gros et gras, le teint frais, et la bouche [vermeille.

Molière, *Tartuffe*, acte I, scène 4, 1664.

a. L'extrait 1 dresse un portrait élogieux pour vanter les qualités du personnage décrit.

○ Vrai   ○ Faux

b. L'extrait 2 dresse un portrait dévalorisant du personnage décrit.

○ Vrai   ○ Faux

c. Surlignez les deux adjectifs communs aux deux extraits.

d. Ont-ils le même sens dans chacun des textes ?

○ Oui   ○ Non

bilan Relevez les mots et expressions des extraits qui vous ont permis de répondre en les classant dans le tableau.

Mots du portrait élogieux	Mots du portrait dévalorisant

Je retiens

1. Les mots peuvent exprimer **un jugement de valeur**, une critique positive ou négative :
– les mots **mélioratifs** sont positifs, **élogieux**.
– les mots **péjoratifs** sont négatifs, **dévalorisants**.

2. Le **degré d'appréciation** positive ou négative dépend du **contexte** dans lequel le mot est employé. Par exemple, un mot peut-être neutre à une époque précise et devenir péjoratif au fil du temps.

Les mots qui évaluent

Mots mélioratifs : Vision positive   Mots péjoratifs : Vision négative

Mes exemples Complétez le GN ***des cheveux*** avec des adjectifs mélioratifs (1) puis des adjectifs péjoratifs (2).

1. ....

2. ....

Je m'exerce

Je distingue les mots mélioratifs et péjoratifs

4 a. * Barrez l'intrus qui s'est glissé dans chaque liste.

1. pingre, parcimonieux, économe, radin, grippe-sous, rat : ....

2. soigneux, minutieux, ordonné, précis, maniaque, rigoureux : ....

3. gentil, obséquieux, attentionné, affable, bienveillant, altruiste : ....

b. * Précisez pour chaque liste si les mots restants sont péjoratifs ou mélioratifs.

5 ** ORTHO Classez les verbes dans le tableau proposé.

réprouver • approuver • apprécier • adorer • dénigrer • chérir • vénérer • exécrer • fustiger • abhorrer • raffoler • affectionner • stigmatiser • glorifier • blâmer.

Jugement positif	Jugement négatif

J'utilise les mots mélioratifs et péjoratifs

6 a. * Soulignez de deux couleurs différentes ces adjectifs selon qu'ils sont péjoratifs ou mélioratifs.

incohérent, monotone, superbe, pertinent, riche, aberrant, farfelu, époustouflant, esthétique, ennuyeux, bâclé, sensationnel, subtil.

b. ** Utilisez deux de ces mots, l'un mélioratif, l'autre péjoratif, dans deux phrases de votre choix.

....

....

7 a. *** Faites la description d'un lieu de votre choix en utilisant ces mots.

désolant • froid • hideux • grisâtre • hostile.

....

....

....

b. ** Votre description est :
○ élogieuse.   ○ dévalorisante.

Je prends en compte le contexte pour identifier un jugement de valeur

8

Rien n'était si beau, si leste, si brillant, si bien ordonné que les deux armées. Les trompettes, les fifres, les hautbois, les tambours, les canons formaient une harmonie telle qu'il n'y en eut jamais en enfer.

Voltaire, *Candide*, 1759.

a. * Quelle scène le narrateur décrit-il ?

b. * Entourez trois mots qui vous ont aidé à répondre.

c. ** Soulignez les mots mélioratifs de l'extrait.

d. ** Sont-ils adaptés au thème du texte ?
○ Oui   ○ Non

e. *** Comment expliquez-vous leur emploi ?

....

....

J'applique ce que j'ai appris pour écrire ☺

Rédigez la critique d'un film votre choix. Vous pouvez exprimer votre avis soit de manière élogieuse, soit de manière dévalorisante. Aidez-vous des adjectifs de l'exercice 6.

....

....

....

....

....

....

....

....

....

....

Avez-vous bien compris les leçons sur le sens des mots ?
Vérifiez en lisant cet extrait et en répondant aux questions d'un des trois groupes.

Une étrange apparition

La nuit venue, un vieux colonel que tout le monde croyait mort à la guerre se présente au cabinet de l'avocat Derville.

Le vieux soldat était sec et maigre. Son front, **volontairement** caché sous les cheveux de sa perruque lisse, lui donnait quelque chose de mystérieux. Ses yeux paraissaient couverts
5 d'une taie[1] transparente : vous eussiez dit de la nacre sale dont les reflets bleuâtres chatoyaient à la lueur des bougies. Le visage pâle, livide, et en lame de couteau, s'il est permis d'emprunter cette expression vulgaire, semblait mort. Le
10 cou était serré par une mauvaise cravate de soie noire. L'ombre cachait si bien le corps à partir de la ligne brune que décrivait ce haillon, qu'un homme d'imagination aurait pu prendre cette vieille tête pour quelque silhouette due au ha-
15 sard, ou pour un portrait de Rembrandt[2], sans cadre.

Les bords du chapeau qui couvrait le front du vieillard **projetaient** un sillon noir sur le haut du visage. Cet effet bizarre, quoique
20 naturel, faisait ressortir, par la brusquerie du contraste, les rides blanches, les sinuosités froides, le sentiment **décoloré** de cette physionomie cadavéreuse.

H. de Balzac, *Le Colonel Chabert*, 1832.
1. un voile. 2. peintre hollandais.

Groupe 1

Je repère

1. a. Parmi les mots en gras dans le texte, soulignez :
– en bleu celui qui a un préfixe,
– en rouge celui qui a un suffixe,
– en vert celui qui a un préfixe et un suffixe.

b. Entourez leur radical en vous aidant des verbes : vouloir, jeter, colorer.

2. Soulignez de la même couleur les mots de même famille : portrait, vieillard, visage, couvrait, vieux, vieille, couverts.

3. La vision du personnage est :
○ positive   ○ négative

Je manipule

4. Modifiez la phrase (l. 4 à 7) de manière à donner une vision méliorative du personnage.
Mots proposés : *un astre, lumineux, briller, étinceler, resplendissant, un soleil, immaculé, rayonner, scintiller, d'or.*

Ses yeux paraissaient _____ : vous eussiez dit _____ dont les reflets _____ chatoyaient à la lueur des bougies.

5. L'expression « en lame de couteau » **(l. 7-8) est employée :**   ○ au sens figuré   ○ au sens propre

J'écris

6. Comment l'avocat Derville peut-il réagir face au colonel Chabert ? Rédigez la suite du texte en quelques phrases en vous aidant des mots :
effrayant, horrible, épouvantable, terrible, repoussant, laideur, abominable, dégout.

Groupe 1, 2 ou 3 : *je rédige en respectant la consigne 6*

Groupe 2

Je repère

1. a. Parmi les mots en gras dans le texte, soulignez :
– en bleu celui qui a un préfixe,
– en rouge celui qui a un suffixe,
– en vert celui qui a un préfixe et un suffixe.

b. Entourez le radical des mots que vous avez soulignés.

2. Surlignez dans le texte deux mots de la famille de *« vieux »* (l. 1). **Complétez cette famille de mots avec deux mots de votre choix.**

....

3. Recopiez trois adjectifs qui donnent une vision péjorative du personnage.

....

Je manipule

4. Remplacez les mots en italique de manière à donner une vision méliorative du personnage.
« Ses yeux paraissaient *(couverts d'une taie transparente)* .... : vous eussiez dit *(de la nacre sale)* .... dont les reflets *(bleuâtres)* .... chatoyaient à la lueur des bougies. »

5. a. De quelle « expression » parle le narrateur aux lignes 7-8 ? ....
b. Cette expression est employée :
○ au sens figuré   ○ au sens propre.

J'écris

6. Comment l'avocat Derville peut-il réagir face au colonel Chabert ? Rédigez la suite du texte en quelques phrases. Vous utiliserez des mots qui expriment un jugement péjoratif.

Groupe 3

Je repère

1. a. Attention, vous n'avez pas le droit de choisir les mots en gras. **Soulignez dans le texte :**
– en bleu un mot qui a un préfixe,
– en rouge un mot qui a un suffixe,
– en vert un mot qui a un préfixe et un suffixe.

b. Entourez le radical des mots que vous avez soulignés.

2. Surlignez trois mots du texte appartenant à la même famille. Complétez la liste avec deux mots de votre choix.

3. Recopiez l'adjectif qui, par sa composition, donne une vision péjorative du personnage :

....

Je manipule

4. Modifiez le vocabulaire de la phrase en italique (l. 4 à 7) dans le texte de manière à faire le contre-portrait du colonel.

....
....
....

5. Remplacez l'expression imagée du premier paragraphe par un adjectif de sens propre.

....

J'écris

6. L'avocat Derville rentre chez lui et raconte à sa femme l'étrange rencontre qu'il vient de faire. Rédigez ses propos. Employez des mots et expressions qui indiquent le point de vue de l'avocat.

Compétences évaluées	☺☺☹
J'évalue mes acquis en complétant chaque smiley.	
1. J'ai su distinguer les préfixes et les suffixes des mots.	☺
2. J'ai identifié des familles de mots.	☺
3. J'ai été capable d'utiliser le lexique mélioratif et péjoratif.	☺
4. J'ai repéré les emplois au sens figuré.	☺

• Dans cette double page, vous allez **réviser** ce que vous avez déjà appris pour vous **préparer** aux leçons qui vont suivre.

• **Lorsque vous en avez besoin**, vous pouvez consulter la ▸Boîte à outils▸ et cocher au fur et à mesure les outils que vous avez utilisés.

Je ne songeais pas à Rose ;
Rose au bois vint avec moi ;
Nous parlions de quelque chose,
Mais je ne sais plus de quoi.

5 J'étais froid comme les marbres ;
Je marchais à pas distraits ;
Je parlais des fleurs, des arbres
Son œil semblait dire : « Après ? »

La rosée offrait ses perles,
10 Le taillis ses parasols ;
J'allais ; j'écoutais les merles,
Et Rose les rossignols.

Moi, seize ans, et l'air morose ;
Elle, vingt ; ses yeux brillaient.
15 Les rossignols chantaient Rose
Et les merles me sifflaient. […]

Une eau courait, fraîche et creuse,
Sur les mousses de velours ;
Et la nature amoureuse
20 Dormait dans les grands bois sourds.

Rose défit sa chaussure,
Et mit, d'un air ingénu,
Son petit pied dans l'eau pure
Je ne vis pas son pied nu.[…]

25 Je ne vis qu'elle était belle
Qu'en sortant des grands bois sourds.
« Soit ; n'y pensons plus ! » dit-elle.
Depuis, j'y pense toujours.

V. Hugo,
« Vieille chanson du jeune temps »,
Les Contemplations, 1856.

Ce que je peux savoir avant de lire l'extrait

a. Ce texte est :

◯ une lettre. ◯ un poème.
◯ un article.

▸Boîte à outils 1▸

b. Ce texte est composé de sept :

◯ phrases. ◯ vers. ◯ strophes.

▸Boîte à outils 2▸

Je vérifie ma compréhension de l'extrait

a. Rose et le poète se promènent :

◯ sur la plage. ◯ dans les bois.

b. Rose est :

◯ plus âgée.
◯ plus jeune que le narrateur.

c. V. Hugo a tout de suite compris que Rose le séduisait.

◯ vrai ◯ faux

1 ▸ Je sais identifier le genre d'un texte

a. Observez les vers 17 à 20. Occupent-ils la même longueur sur la page ? ....

b. Comptez ensuite le nombre de syllabes par vers ; que constatez-vous ? ....

....

c. Avec quels mots rime le mot *« sourds »* **?**

....

d. Dans les strophes 3 et 4, surlignez en bleu les mots qui contiennent le prénom de la jeune fille. Sont-ils tous en fin de vers ? ◯ oui ◯ non

▸Boîte à outils 3▸

e. Encadrez les pronoms personnels à la 1ʳᵉ personne dans la première et la dernière strophe. D'après vous, le narrateur a-t-il le même âge au moment du récit et au moment de l'écriture ? ....

Compétences réactivées

Dans cet atelier, je vérifie que je sais :
✔ Identifier le genre d'un texte
✔ Identifier le registre d'un texte grâce au lexique
✔ Repérer et interpréter une image dans un texte

2   *Je sais identifier le registre d'un texte grâce au lexique*

a. Comparez le premier et le dernier vers :

	« Je ne songeais pas à Rose ; »	*« Depuis, j'y pense toujours. »*
Le verbe signifie		
Il est conjugué à/au		
La phrase est à la forme		

b. Relevez les adjectifs qualificatifs dans les strophes 2 et 4. De quel personnage dressent-ils le portrait ?

....

c. Selon vous, ce poème est-il : ironique, joyeux, mélancolique, nostalgique, pathétique, triste ?

Vérifiez le sens des mots que vous ne connaissez pas puis entourez vos réponses.

Boîte à outils **4**

3   *Je sais repérer et interpréter une image dans un texte*

a. Reliez chaque vers à la figure que vous reconnaissez :

1. J'étais froid comme les marbres ; •   • métaphore

2. Sur les mousses de velours ; •   • personnification

3. La rosée offrait ses perles •   • comparaison

b. Quel est le sujet de chaque verbe en vert dans le texte ? ....

À quoi ces sujets sont-ils donc comparés ? ....

c. Remplacez les verbes en rose dans le texte par un synonyme qui convient : *approuver • huer • désapprouver • louer.*

chanter : ....   siffler : ....

d. D'après les vers 15 et 16, de qui les oiseaux sont-ils donc complices ?

○ de Rose   ○ du jeune homme

Boîte à outils **5**

 **Boîte à outils**

○ **1** La disposition d'un texte sur la page est un indice pour reconnaitre le genre auquel il appartient.

○ **2** En poésie, un vers correspond à une ligne ; une strophe correspond à un paragraphe. La rime est la répétition d'un ou plusieurs sons en fin de vers.

○ **3** Être attentif-ve aux sonorités permet d'entendre le rythme poétique.

○ **4** Un texte littéraire produit des effets variés sur son lecteur ; il associe le plus souvent plusieurs registres.

○ **5** Les figures de style utilisées par l'auteur rendent son texte plus expressif. Les repérer permet de comprendre les effets qu'il cherche à produire sur son lecteur.

5 Les genres et les registres littéraires

Connaissances et compétences visées

Dans cette leçon, je vais apprendre à :

✔ Identifier les genres et les registres littéraires

✔ Adapter le registre à la visée de mes écrits

 J'observe et je manipule

1

a. Que fait Mr Bean ?

....

b. Quelle émotion son visage manifeste-t-il ?

....

2 a. Lisez cet extrait et soulignez les parties du corps décrites.

b. Faites ci-dessous le dessin du personnage.

> Au physique, je suis de taille moyenne, plutôt petit. J'ai des cheveux châtains coupés courts […]. Mes yeux sont bruns, avec le bord des paupières habituellement enflammé ; mon teint est coloré ; j'ai honte d'une fâcheuse tendance aux rougeurs et à la peau luisante. […]
> Ma tête est plutôt grosse pour mon corps ; j'ai les jambes un peu courtes par rapport à mon torse, les épaules trop étroites relativement aux hanches. Je marche le haut du corps incliné en avant […].
>
> M. Leiris, *L'Âge d'homme*, © éd. Gallimard, 1939.

bilan **Quel effet votre dessin produit-il ?** ....

....

3
> Au lac de tes yeux très profond
> Mon pauvre cœur se noie et fond
> Là le défont
> Dans l'eau d'amour et de folie
> Souvenir et Mélancolie
>
> G. Apollinaire, *Poèmes à Lou*,
> © éd. Gallimard, 1947 (éd. posthume).

a. Lisez cet extrait. À quel genre appartient-il ?

○ roman ○ poésie ○ théâtre ○ lettre

Justifiez votre réponse. ....

....

b. Selon vous, à quel registre appartient-il ?

○ tragique ○ lyrique ○ comique ○ épique

 Je retiens

1. On peut classer les œuvres littéraires en différentes catégories, appelées **genres** : le roman, la nouvelle, la poésie, le théâtre et la lettre. Une œuvre appartient à un genre.

2. Selon l'impression qu'il veut produire sur le lecteur, un auteur peut recourir à différents **registres** dans une même œuvre :

Registres	Intentions
comique	faire rire
satirique	critiquer en se moquant
lyrique	exprimer ses sentiments personnels et les partager
pathétique	émouvoir, susciter la compassion
tragique	inspirer la pitié et la crainte face à la mort et au destin
épique	émerveiller, susciter l'admiration ou l'effroi

Genre littéraire Catégorie → **Nature** Qu'est-ce que c'est ?

Registre Effet → **Fonction** À quoi cela sert-il ?

3. Pour distinguer **genre** et **registre**, on peut faire un rapprochement avec **nature** et **fonction** en grammaire.

Mes exemples Écrivez un exemple (titre et/ou auteur) de théâtre comique (1) et de poésie lyrique (2).

1. ....

2. ....

J'identifie les genres et les registres

4 * Indiquez à quel genre littéraire appartient chaque extrait.

1. DON DIÈGUE
Rodrigue, as-tu du cœur ?

P. Corneille, *Le Cid*, Acte I, scène 5, 1636.

2. Le dévouement d'un seul avait donné de la force et du courage à tous. La charrette fut enlevée par vingt bras. Le vieux Fauchelevent était sauvé.

V. Hugo, *Les Misérables*, 1862.

1. _____

2. _____

5 * Reliez chaque proposition au registre qui convient.

1. L'auteur se moque des bourgeois et les caricature.   • • épique

2. L'auteur raconte un combat impitoyable dont le héros courageux sort vainqueur.   • • lyrique

3. L'auteur raconte son enfance avec nostalgie.   • • satirique

4. L'auteur met en scène des personnages qui ne parviennent pas à échapper à leur destin. • • tragique

6 ** Lisez le texte suivant. Quel genre et quels registres reconnaissez-vous ?

PHÈDRE.
Œnone[1], la rougeur me couvre le visage,
Je te laisse trop voir mes honteuses douleurs,
Et mes yeux malgré moi se remplissent de
                              [pleurs.

J. Racine, *Phèdre*, Acte I, scène 3, 1677.
1. nourrice et confidente de Phèdre.

• genre : _____

• registres : _____

7 ** D'après vous, à quel registre appartient chacune de ces œuvres ? Inscrivez le chiffre qui correspond à votre choix.

1. comique 2. épique 3. lyrique 4. pathétique
5. satirique.

La Chanson de Roland _____

Poèmes à Lou _____

Les Précieuses ridicules _____

Le Petit Nicolas _____

Les Souffrances du jeune Werther _____

J'adapte le registre à la visée de mes écrits

8 ** Associez deux adjectifs à chaque registre :
moqueur • spectaculaire • fatal • grandiose • mélancolique • hilarant • larmoyant • nostalgique • cocasse • inévitable • intime • ironique.

comique : _____

épique : _____

lyrique : _____

pathétique : _____

satirique : _____

tragique : _____

9 ** Quel registre allez-vous choisir pour :

1. vous moquer de personnes prétentieuses ?

_____

2. raconter la bataille qui oppose deux armées ?

_____

J'écris pour exprimer un avis personnel ☺

Parmi les livres que vous avez lus, lequel vous a le plus fait rire, lequel vous a le plus ému ?

Citez les deux œuvres et expliquez vos réponses en quelques mots. Vous pouvez vous aider des adjectifs de l'exercice 8.

_____

_____

_____

_____

_____

_____

_____

6 Le lexique de la poésie

🔍 J'observe et je manipule

1 Lisez ce texte puis retrouvez les quatre vers en les séparant par une barre (/) et en rétablissant les majuscules de début de vers.

L'été, lorsque le jour a fui, de fleurs couverte la plaine verse au loin un parfum enivrant ; les yeux fermés, l'oreille aux rumeurs entrouverte, on ne dort qu'à demi d'un sommeil transparent.

V. Hugo, « Nuits de juin », *Les Rayons et les Ombres*, 1840.

bilan Vous vous êtes aidé-e : ○ de la ponctuation.   ○ des rimes.

2 **a.** Lisez ces extraits de poèmes à haute voix.

1.
Je me souviens d'une autre année
C'était l'aube d'un jour d'avril
J'ai chanté ma joie bien-aimée

G. Apollinaire,
« La Chanson du mal aimé », *Alcools*, 1913.

2.
Demain, dès l'aube, à l'heure où blanchit la campagne,
Je partirai. Vois-tu, je sais que tu m'attends.
J'irai par la forêt, j'irai par la montagne.
Je ne puis demeurer loin de toi plus longtemps.

V. Hugo, « Demain, dès l'aube… »,
Les Contemplations, 1856.

3.
Le vent se lève !… il faut tenter de vivre !
L'air immense ouvre et referme mon livre,
La vague en poudre ose jaillir des rocs !

P. Valéry, *Le Cimetière marin*, 1920.

b. **Pour chaque extrait, cochez la case qui correspond au nombre de syllabes par vers.**
1. ○ 8   ○ 10   ○ 12   **2.** ○ 8   ○ 10   ○ 12
3. ○ 8   ○ 10   ○ 12

3 Lisez ces vers à haute voix. Qu'entendez-vous de particulier ? ....
1. Un feu de ferme flambe au fond de ce désert. L. Aragon
2. Le soleil s'est noyé dans son sang qui se fige. C. Baudelaire
3. Et finisse l'écho par les célestes soirs […] S. Mallarmé

bilan Surlignez dans chaque vers les lettres qui justifient votre réponse.

Je retiens

1. La poésie est un **art du langage** à rapprocher de la **musique** pour le rythme et le jeu des sonorités, et de la **peinture** pour la création d'images.

2. Un poème suit des **règles** de versification telles que :
– des **vers réguliers** : l'alexandrin (12 syllabes), le décasyllabe (10 syllabes) et l'octosyllabe (8 syllabes)… Attention : on fait entendre le « **e** » **final** d'un mot quand le suivant commence par une consonne,
– des **rimes régulières** : suivies (AABB), croisées (ABAB) ou embrassées (ABBA),
– des **effets de rythme** : par exemple, un enjambement (un vers se prolonge sur le suivant), un rejet (un mot est rejeté au vers suivant).

3. La langue poétique s'attache au travail des **sonorités** : on parle d'**assonance** (quand un son voyelle est répété) et d'**allitération** (quand un son consonne est répété).

> **Vers réguliers**
> • alexandrin, décasyllabe, octosyllabe

> **Effets de rythme**
> • enjambement
> • rejet

> **Sonorités**
> • rimes
> • assonance, allitération

Mon exemple Rédigez un octosyllabe contenant les mots : *fendent • femmes • foule*. Soulignez l'assonance.

Je m'exerce

J'identifie les règles de versification

4 * Indiquez le nombre de syllabes contenues dans chaque vers régulier, puis nommez-le.

Astuce : entourez les « *e* » en fin de mot qui se prononcent.

1. Tout bourgeois veut bâtir comme les grands seigneurs. J. de La Fontaine _____

2. Cueillez, cueillez votre jeunesse. P. de Ronsard _____

3. Beau ciel, vrai ciel, regarde-moi qui change ! P. Valéry _____

5 **a.** * Complétez cette strophe avec les mots : *blanches* • *branches* • *doux* • *vous*.

Voici des fruits, des fleurs, des feuilles et des _____
Et puis voici mon cœur qui ne bat que pour _____
Ne le déchirez pas avec vos deux mains
Et qu'à vos yeux si beaux l'humble présent soit _____

        P. Verlaine, « Green », *Romances sans paroles*, 1874.

b. * Soulignez les rimes.

c. ** Comment sont-elles disposées ?

_____

6 **a.** * Lisez cette strophe à voix haute.

Ici, gronde le fleuve aux vagues écumantes,
Il serpente, et s'enfonce en un lointain obscur ;
Là, le lac immobile étend ses eaux dormantes
Où l'étoile du soir se lève dans l'azur.

    A. de Lamartine, « L'isolement », *Méditations poétiques*, 1820.

b. ** Indiquez par une flèche en fin de vers à quel endroit se trouve un enjambement.

c. ** Surlignez de trois couleurs différentes une allitération et deux assonances dans le vers 2.

Je repère les effets sonores et rythmiques

7 **a.** * Lisez le premier vers. Comment le nomme-t-on ? _____

Silence ! quelqu'un frappe, – et, sur les dalles sombres
Un pas _____ fait tressaillir la nuit.
Une lueur _____ approche avec deux
                       [ombres…
C'est toi, maigre Rolla ? que _____ faire ici ?

    A. de Musset, « Rolla », *Poésies nouvelles*, 1857.

b. ** Choisissez dans la liste les termes qui permettent d'obtenir le même type de vers.

retentissant / sourd • *vacillante / tremblante* • *viens-tu / venez-vous*.

8 **a.** ** Lisez cet extrait à voix haute puis retrouvez la disposition en vers en les séparant par une barre (/).

Il m'attend ! Je ne sais quelle mélancolie au trouble de l'amour se mêle en cet instant ; mon cœur s'est arrêté sous ma main affaiblie ; l'heure sonne au hameau ; je l'écoute… et pourtant il m'attend !

        M. Desbordes-Valmore,
    « Le rendez-vous », *Romances*, 1830.

b. ** Soulignez ce qui peut être considéré comme un refrain.

J'enrichis mon vocabulaire   **ORTHO**

9 ** Pour préparer l'écriture d'une strophe, trouvez des mots rimant avec ceux proposés.

1. at**tend** → _____ emps – _____ tant (nom) – _____ tant (verbe) – _____ tan

2. coll**ège** → _____ eige – _____ ège – _____ ais-je

3. amour**eux** → m _____ leux – h _____ reux – a _____ eux

J'applique ce que j'ai appris pour écrire ☺

À votre tour, rédigez une strophe de 5 vers qui commence et se termine par : « *Elle m'attend !* ».

Elle m'attend ! _____

_____

_____

_____

               Elle m'attend !

7

Les figures de style : les images

J'observe et je manipule

1 **a.** Dans chaque phrase, entourez le point commun entre les éléments soulignés.

1. Elle sauta d'un bond [...] les joues rouges comme une pomme d'api, mes prunelles rayonnantes d'éclair. V. Hugo

2. Un bruit sourd, étouffé, fréquent vient à mes oreilles, semblables à celui que fait une montre enveloppée dans du coton. E. A. Poe

b. Classez dans le tableau chaque groupe de mot souligné.

c. Surlignez le synonyme de *« comme »* dans la phrase 2.

Élément décrit	Élément évoqué pour ses points communs avec l'élément décrit

2 Réécrivez ces phrases en remplaçant les éléments soulignés par des mots ou groupes de mots synonymes.

1. Tes paroles l'ont froissée ; à présent, elle est muette comme une carpe.

....

2. Couché en chien de fusil, j'ai dormi comme une marmotte.

....

bilan Quelles phrases reposent sur des images, celles proposées ou les vôtres ? ....

3 **a.** Soulignez l'élément naturel évoqué dans ces vers de Victor Hugo.

- Le sinistre océan jette son noir sanglot.
- La lune était sereine et jouait sur les flots.
- L'onde, de son combat sans fin exténuée,
S'assoupit, et, laissant l'écueil se reposer,
Fait de toute la rive un immense baiser.

b. Chaque élément souligné est présenté comme ○ un élément naturel.   ○ une personne.

c. Entourez les mots qui justifient votre réponse.

Je retiens

Pour rendre son texte plus expressif, un auteur peut utiliser des **procédés d'écriture**. Ce sont des **figures de style** parmi lesquelles :

1. la **comparaison** et la **métaphore** qui rapprochent deux éléments (le comparé et le comparant) et soulignent leur(s) point(s) commun(s). La comparaison utilise un **outil de comparaison** (*comme, tel...*), tandis que la métaphore donne directement une **vision imagée** ;

2. la **personnification** qui évoque un animal, un objet, une idée ou un élément naturel **comme s'il s'agissait d'un être humain**.

Mon exemple Rédigez une comparaison sur le thème du regard.

....

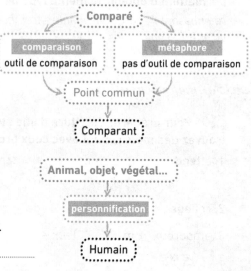

Je repère les images

4 * **Encadrez les comparaisons et soulignez les métaphores.**

1. Les deux tourtereaux ne s'arrêtaient que pour s'embrasser.

2. Ils écoutaient ses paroles, douces comme le miel.

3. Tel un robot, il répétait toute la journée les mêmes gestes.

4. Les spectateurs étaient venus écouter la cantatrice à la voix de rossignol.

5 ** **Nommez les figures de style présentes dans les extraits suivants : comparaison, métaphore, personnification.**

1. Ce jeune souvenir riait entre nous deux,

Léger comme un écho, gai comme l'espérance.
A. de Musset

2. Mais Paris est un véritable océan. Jetez-y la sonde, vous n'en connaitrez jamais la profondeur.
H. de Balzac

Je manipule les outils de comparaison

6 * **ORTHO** **Remplacez « comme » par un autre outil de comparaison. Attention aux accords !**

1. De la fenêtre du train, il regardait le paysage qui défilait comme un long travelling.

2. Comme deux araignées véloces, les mains du pianiste couraient sur le clavier.

3. Ses cheveux blonds étaient drus et désordonnés comme des épis de blé.

4. Elle sera comme une fleur au printemps.

J'analyse et je crée des images

7 a. ** **Surlignez le(s) mot(s) qui montrent que l'auteur a utilisé une personnification.**

1. Le Pot de fer proposa
Au Pot de terre un voyage. J. de La Fontaine

2. C'est un trou de verdure où chante une rivière
A. Rimbaud

3. Sois sage, ô ma Douleur, et tiens-toi plus tranquille !
C. Baudelaire

b. ** **Inscrivez le numéro de l'extrait sous l'étiquette correspondante.** L'auteur personnifie :

un élément naturel	un élément abstrait	un objet

8 ** **Quel élément du visage les images suivantes évoquent-elles ?**

billes de charbon • éclats d'émeraude • petites amandes bleues :

9 *** **Trouvez deux expressions pour décrire :**

1. les joues :

2. le nez :

Réécrivez cet extrait en l'enrichissant d'une comparaison, en bleu et d'une métaphore, en rouge.

Julie ouvrit l'enveloppe avec précaution et en sortit la lettre.
Elle observa attentivement l'écriture puis commença sa lecture.
Un sourire éclaira son visage tout entier.

8 Les figures de l'insistance

J'observe et je manipule

1 Souvent, du haut d'une montagne, ils apercevaient tout à coup quelque cité splendide avec des dômes, des ponts, des navires, des forêts de citronniers et des cathédrales de marbre blanc, dont les clochers aigus portaient des nids de cigognes.

G. Flaubert, *Madame Bovary*, 1857.

a. Lisez cet extrait. À quel mot la phrase aurait-elle pu s'arrêter ?

....

b. Qu'apporte la suite ?

....

2 *Un peigne est retrouvé cassé. Le jeune Rousseau est puni sans preuve.*

On ne put m'arracher l'aveu qu'on exigeait. […] Enfin, je sortis de cette cruelle épreuve en pièces, mais triomphant. […]

Je sens en écrivant ceci que mon pouls s'élève encore ; ces moments me seront toujours présents quand je vivrais cent mille ans.

J.-J. Rousseau, *Les Confessions*, 1782.

Surlignez les passages qui marquent une exagération de la réalité.

bilan À votre avis, quelles sont les intentions de l'auteur ? Cochez les bonnes réponses.

- ○ émouvoir
- ○ amuser
- ○ se venger
- ○ se défendre
- ○ reconnaitre ses torts

3 Je t'aime pour toutes les femmes que je n'ai pas connues
Je t'aime pour tous les temps où je n'ai pas vécu
Pour l'odeur du grand large et l'odeur du pain chaud
Pour la neige qui fond pour les premières fleurs
Pour les animaux purs que l'homme n'effraie pas
Je t'aime pour aimer

P. Eluard, « Je t'aime », *Le Phénix*, 1951.

bilan Quel rôle jouent ces répétitions ?

....

a. Lisez cette strophe à voix haute.

b. Quels vers ont la même construction ?

....

c. Entourez les mots répétés en début de vers.

d. À l'intérieur de quel vers un de ces mots est-il répété ?

....

Je retiens

Pour rendre un discours plus convaincant, mettre en relief une idée, traduire l'intensité d'une émotion, un auteur peut utiliser différentes **figures de l'insistance et de l'amplification.**

1. **L'énumération** : succession de mots ou de groupes de mots de même nature.

2. **L'anaphore** : répétition d'un même mot ou d'un même groupe de mots en début de phrases ou de vers.

3. **La gradation** : succession de termes présentés du moins fort au plus fort (gradation ascendante) ou du plus fort au moins fort (gradation descendante).

4. **L'hyperbole** : emploi de termes ou de tournures exagérés.

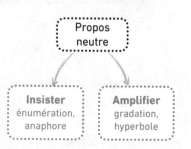

Mon exemple Transformez ce propos neutre pour l'amplifier : *Ce film est drôle.*

....

Je repère les figures de l'insistance

4 * Nommez les figures d'insistance soulignées.

Jusqu'au fond de nos cœurs notre sang
[s'est glacé ;
Des coursiers attentifs le crin s'est hérissé.

J. Racine, *Phèdre*, 1677.

....

Gloire, jeunesse, orgueil, biens que la tombe emporte !
L'homme voudrait laisser quelque chose à la porte,
Mais la mort lui dit non !

V. Hugo, « Napoléon 2 », 1832.

....

5 * Entrainez-vous à lire ces extraits à voix haute en marquant oralement la gradation. Soyez attentif-ve à l'effet recherché par l'auteur.

1. Marchez, courez, volez, où l'honneur vous appelle. **N. Boileau**, *Le Lutrin*, Chant IIIe, 1683.

2. C'est un roc !... C'est un pic !... C'est un cap !... Que dis-je, c'est un cap ?... C'est une péninsule ! **E. Rostand**, *Cyrano de Bergerac*, 1897.

6 * Surlignez les phrases qui contiennent une hyperbole.

1. Cette tarte n'est pas mauvaise.
2. Elle est trempée jusqu'aux os.
3. Sa fille est adorable.
4. J'ai mille choses à vous dire.
5. J'aurai deux mots à te dire !
6. C'est à mourir de rire !

Je perçois l'effet produit par les figures de l'insistance

7 * Classez ces adjectifs hyperboliques dans le tableau ci-dessous.

abominable • accablant • atroce • éreintant • horrible • incroyable • inouï

Fatigue	Surprise	Laideur

8 ** Reliez ces mots à la figure de style à laquelle ils vous font penser.

crescendo   démesure   liste   juxtaposition   excès   etc. (*et caetera*)   intensification

énumération   gradation   hyperbole

Je choisis les figures en fonction de mon projet d'écriture

9 ** Quelle figure de style utiliseriez-vous ?

1. Pour suggérer l'abondance dans une description :

....

2. Pour montrer l'intensification d'un sentiment :

....

3. Pour évoquer la violence d'une dispute :

....

10 *** Rédigez une strophe avec une anaphore.

....
....

J'applique ce que j'ai appris pour écrire ☺

Tout l'hiver va rentrer dans mon être : colère, Haine, frissons, horreur, labeur dur et forcé.

En vous inspirant de ces vers de Baudelaire extraits de « Chant d'automne », évoquez ce que représente pour vous une autre saison. Vous utiliserez des noms ou GN juxtaposés.

Tout .... va rentrer dans mon être :

....
....
....
....

9 Le vocabulaire des sentiments

 **J'observe et je manipule**

1

[Croisset] Vendredi soir [16 janvier 1852].

Tu me rappelles dans ta lettre que je t'en ai promis une pleine de tendresses. Je vais t'envoyer la vérité […].

J'éprouve pour toi un mélange d'amitié, d'attrait, d'estime, d'attendrissement de cœur et d'entraînement de sens qui fait un tout complexe, dont je ne sais pas le nom mais qui me paraît solide. […] Oui, je t'aime, ma pauvre Louise, je voudrais que ta vie fût douce de toute façon, et sablée, bordée de fleurs et de joies.

G. Flaubert, *Lettres à Louise Colet*, 1852.

a. Surlignez les mots qui désignent un sentiment.

b. Lesquels appartiennent à la même famille de mots ?

....

....

2 **Formez au moins six adjectifs qualificatifs en associant aux radicaux grecs un préfixe ou un suffixe.**

Radicaux : -phob-, -phil(o)-, -mis(o)-, -anthrop-, -gyn-, -xéno-, -agora-, -soph-, -path-.

Préfixes : anti-, sym-.   **Suffixes :** -ique, -e.

Exemple : phil-anthrop-e ....

....

bilan **Soulignez en rouge les adjectifs qui évoquent le gout et en bleu ceux qui évoquent le rejet.**

3 **Classez les mots de cette liste du sentiment le plus faible (1) au sentiment le plus fort (6) :**

attachement : .... • *sympathie :* .... • *passion :* .... • *idolâtrie :* .... • *estime :* .... • *amour :* ....

bilan **Quels mots de la liste suggèrent un amour démesuré ?** ....

4 **Classez ces adverbes dans le tableau selon qu'ils font varier la durée ou l'intensité du verbe « *aimer* » :**

encore • éperdument • toujours • instantanément • follement • ne plus • éternellement • passionnément.

La durée du verbe « *aimer* »	L'intensité du verbe « *aimer* »

bilan **Le verbe « *aimer* » vous semble-t-il suffisant pour exprimer le sentiment amoureux ?**

....

 Je retiens

1. On distingue ce que l'**on pense** (idées, opinion) de ce que l'**on ressent** (émotions, sentiments). On parle d'**émotion** quand l'état affectif est **passager** et de **sentiment** quand il est **durable**.

2. Pour exprimer un sentiment fort, on peut évoquer les **manifestations physiques** qu'il déclenche (ex : tremblement, chaleur).

3. L'amour ou la peur sont des sentiments complexes : pour bien les traduire, il faut en déterminer l'**objet** et l'**intensité**.

4. Le **vocabulaire des sentiments** comporte des noms (ex. : passion), des adjectifs (ex. : tendre), des verbes (ex. : adorer) et des adverbes (ex. : éperdument) qui permettent d'apporter des **nuances**.

Mes exemples Écrivez trois verbes synonymes du verbe « *aimer* ».

....

Je repère le vocabulaire de l'amour et de la haine

5 * Parmi les sentiments suivants, entourez ceux que vous pouvez rapprocher de l'amour.

affection • attirance • allégresse • ferveur • sympathie • penchant • compassion.

6 * Lisez les phrases et reliez le mot en gras au sens propre ou au sens figuré.

1. Le jeune homme la **dévorait** des yeux. •
2. Cannelle **dévore** ses croquettes avec avidité. •
3. Elle s'était montrée très **froide** avec ses invités. •
4. Un vent **froid** lui cinglait le visage. •

• sens propre

• sens figuré

7 a. ** Remettez les lettres dans l'ordre pour retrouver quatre synonymes du mot « *haine* ».

RSVNIOEA → .... N : ....   SRMPÉI → .... É .... : ....

NDDIÉA → .... I .... : ....   MNTÉIIII → I .... : ....

b. *** Numérotez les mots que vous avez trouvés du plus faible (1) au plus fort (4).

J'utilise un vocabulaire précis pour nuancer ma pensée

8 * Soulignez les mots qui conviennent.

1. Si le passé nous semble plus heureux que le présent, on le regarde avec :

mélancolie • soulagement • nostalgie • regret • apaisement.

2. Si le futur nous semble plus heureux que le présent, on le regarde avec :

espérance • crainte • impatience • appréhension • patience • espoir.

9 a. ** Lisez l'extrait. Quel sentiment Phédre éprouve-t-elle pour Hippolyte ? ....

b. ** Surlignez les passages qui montrent les manifestations physiques de ce sentiment.

Je le vis, je rougis, je pâlis à sa vue.
Un trouble s'éleva dans mon âme éperdue.
Mes yeux ne voyaient plus, je ne pouvais parler,
Je sentis tout mon corps, et transir et brûler.

J. Racine, *Phèdre*, 1677.

J'enrichis mon vocabulaire `ORTHO`

10   Je ne vois pas où est le catéchisme[1] de l'amour et pourtant l'amour, sous toutes les formes, domine notre vie entière : amour **filial**, amour **fraternel**, amour **conjugal**, amour **paternel** ou **maternel**, amitié, […] l'amour est partout, il est notre vie même.

G. Sand, *Histoire de ma vie*, 1855.
1. Recueil de principes et de règles.

** Associez chaque adjectif en gras à une définition pour préciser qui aime et qui est aimé.

1. un père envers ses enfants : ....

2. entre les enfants issus des mêmes parents : ....

3. un enfant envers ses parents : ....

4. une mère envers ses enfants : ....

5. entre époux : ....

J'applique ce que j'ai appris pour écrire ☺

Racontez, en quelques lignes, l'évolution du sentiment amoureux entre deux personnes.

10 L'expression des qualités physiques et morales

J'observe et je manipule

1

Aidons le progrès par l'assistance à l'enfance. Assistons l'enfant par tous les moyens, par la bonne nourriture et par le bon ensei-
5 gnement. L'assistance à l'enfance doit être, dans nos temps troublés, une de nos principales préoccupations. L'enfant doit être notre souci. Et savez-vous
10 pourquoi ? Savez-vous son vrai nom ? L'enfant s'appelle l'avenir.

V. Hugo, *Actes et paroles*, *Pendant l'exil*, 1875.

a. Quel est le sujet abordé par Victor Hugo dans son discours ?

....

b. Que pense V. Hugo ?

○ Il faut aider les enfants.   ○ Il ne faut pas aider les enfants.

c. Surlignez les mots de sens positif dans l'extrait.

d. Quel est le mode verbal utilisé dans les deux premières phrases ? Dans quel but ?

....

e. Quel verbe est répété dans les lignes 5 à 9 ? Qu'exprime-t-il ?

....

....

bilan Entourez les deux valeurs défendues par V. Hugo.

protection   amitié   éducation   respect

2 **a. Recherchez dans un dictionnaire l'origine latine du mot « *vertu* » dans ce vers du *Cid***
« L'éclatante vertu de leurs braves aïeux ».

....

b. Quelle est la définition de « *vertu* » ?

....

c. Trouvez un antonyme du mot « *vertu* » commençant par la même lettre.

....

bilan Proposez trois mots appartenant à la famille du mot « *valeur* ».

....

3 Soulignez tous les mots synonymes de « *valeur* ».

incapacité   qualité   vertu   mérite   faiblesse   force   médiocrité   défaut

Je retiens

1. Les **valeurs** représentent l'ensemble des **qualités physiques**, **morales** et **intellectuelles**.
   Les mots qui expriment des valeurs sont **mélioratifs**.
2. Le lexique des valeurs est lié à différents domaines : **l'éducation, la culture, la politique, la société, la religion, la famille**, etc.
   Les valeurs **changent en fonction des époques, de l'entourage familial et social** et **de la culture**, ce qui peut provoquer des **débats** ou des **désaccords**.
3. Le lexique des valeurs se retrouve souvent au **théâtre**, dans les **discours** ou les **dialogues**.

Les valeurs

Qualités physiques	Qualités morales	Qualités intellectuelles
force, agilité, endurance	*bravoure, honneur, bonté, sincérité*	*intelligence, inventivité, érudition*

Mes exemples Citez deux valeurs d'un·e délégué·e de classe.

....

Je comprends le sens des mots qui expriment une valeur

4 * **Associez chaque définition au mot qui convient.**

1. qualité de celui qui souhaite le bien d'autrui •

2. force morale permettant de continuer malgré les difficultés •

3. sentiment de solidarité et d'amitié •

4. attention et affection que l'on porte aux autres •

• **A.** fraternité

• **B.** altruisme

• **C.** bienveillance

• **D.** persévérance

5 ** **ORTHO** Proposez un antonyme pour chaque valeur.**

1. courage : ....

2. force : ....

3. honnêteté : ....

4. humilité : ....

5. sincérité : ....

6. philanthropie : ....

6 a. *** **ORTHO** Rédigez trois définitions du mot « *devoir* » (verbe et nom).**

1. ....

2. ....

3. ....

b. * **Proposez trois synonymes du nom « *devoir* ».**
....

Je sais utiliser le lexique des qualités

7 * **Classez les mots de chaque liste dans le tableau.** *Aidez-vous d'un dictionnaire.*

1. *brave • preux • intrépide • casse-cou.*

2. *sincère • loyal • carré • réglo • probe.*

Lexique soutenu	Lexique familier	Lexique courant

8 ** **Trouvez trois expressions figurées avec le mot « *cœur* ». Elles doivent toutes exprimer une valeur.**

1. ....

2. ....

3. ....

J'enrichis mon vocabulaire autour des qualités

9 a. ** **Complétez le texte avec les mots proposés. L'un des mots de la liste sera employé deux fois.**

bien • mérite • vertu • cultiver • éducation.

Son père était mort jeune, et l'avait laissée sous la conduite de Mme de Chartres, sa femme, dont le ...., la .... et le .... étaient extraordinaires. […] Elle avait donné ses soins à l' .... de sa fille ; mais elle ne travailla pas seulement à .... son esprit et sa beauté, elle songea aussi à lui donner de la ....

Mme de La Fayette,
La Princesse de Clèves, 1678.

b. *** **Soulignez dans le texte les noms qui sont à l'origine des adjectifs « *spirituel* » et « *soigné* ».**

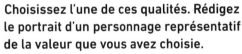

J'applique ce que j'ai appris pour écrire

Choisissez l'une de ces qualités. Rédigez le portrait d'un personnage représentatif de la valeur que vous avez choisie.

la franchise • le respect • la solidarité • la générosité.

11 Le vocabulaire du réalisme et du fantastique

J'observe et je manipule

1

C'était, à l'encoignure de la rue de la Michodière et de la rue Neuve-Saint-Augustin, un magasin de nouveautés dont les étalages éclataient en notes vives, dans la douce et pâle journée d'octobre. Huit heures sonnaient à Saint-Roch, il n'y avait sur les trottoirs que le Paris matinal, les employés filant à leurs bureaux et les ménagères courant les boutiques. Devant la porte, deux commis, montés sur une échelle double, finissaient de pendre des lainages […].

É. Zola, *Au Bonheur des Dames*, 1883.

a. Réécrivez la première phrase en supprimant le plus de mots possible.

....

b. Entourez les noms propres. Vérifiez sur un plan de Paris si ces rues existent toujours.

c. Soulignez en bleu les indices de temps et en rouge les indices de lieu.

bilan Qu'est-ce qui fait de cette description une description réaliste ?

....

....

....

2

Je regardais le tableau placé devant moi, et, rien qu'à voir la maison et la perspective caractéristique de ce domaine, – les murs qui avaient froid, – les fenêtres semblables à des yeux distraits, – quelques bouquets de joncs vigoureux, – quelques troncs d'arbres blancs et dépéris, – j'éprouvais cet entier affaissement d'âme, qui, parmi les sensations terrestres, ne peut se mieux comparer qu'à l'arrière-rêverie du mangeur d'opium[1] […].

E. A. Poe, « La Chute de la maison Usher », 1839.
1. Opium : suc de la plante de pavot.

a. Le narrateur est-il ?
○ extérieur à l'histoire
○ un personnage de l'histoire

b. Qu'observe le narrateur ?
○ un tableau   ○ une maison   ○ un jardin

c. Soulignez les comparaisons et la personnification.

bilan Quel effet cette description produit-elle sur vous ?

....

 ## Je retiens

1. Dans un **récit réaliste**, le narrateur cherche à donner au lecteur **l'impression qu'il retranscrit la réalité avec fidélité**.
   – Pour cela, il offre des **éléments précis de description** (de lieux, d'objets, de personnages), des noms propres réels, des dates...
   – Les **personnages** sont **ancrés dans un milieu social** qu'ils représentent et le narrateur rapporte leurs paroles, telles qu'elles sont censées avoir été prononcées.

2. Dans un **récit fantastique**, un **phénomène étrange** transforme le réel et **fait douter le narrateur** de ce qu'il vit. Peu à peu, **la peur** l'envahit et **le lecteur ne peut savoir** si les faits sont de l'**ordre du réel ou du surnaturel**.

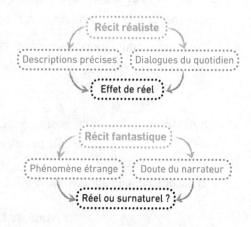

Mes exemples Citez un titre de nouvelle réaliste (1) et un titre de nouvelle fantastique (2) que vous avez lues.

1. ....

2. ....

Je distingue le réalisme du fantastique

3 Texte 1 :

Dans l'extrait suivant, Zola décrit un atelier d'artiste.

La vaste salle s'étendait, avec ses quatre longues tables, perpendiculaires aux fenêtres, des tables doubles, très larges, occupées des deux côtés par des files d'élèves, encombrées d'éponges mouillées, de godets, de vases d'eau, de chandeliers de fer, de caisses de bois, les caisses où chacun serrait sa blouse de toile blanche, ses compas et ses couleurs.

É. Zola, *L'Œuvre*, 1886.

Texte 2 :

Dans l'extrait suivant, l'auteur décrit une chambre.

Les bougies blêmirent et s'éteignirent, laissant fumer âcrement leurs mèches rouges ; le feu disparut sous une couche de cendres tièdes ; les fleurs se fanèrent et se desséchèrent en quelques moments ; le balancier de la pendule reprit graduellement son immobilité.

Villiers de l'Isle-Adam, *Véra*, 1893.

a. * Surlignez les épithètes et les CDN dans le texte 1.

b. * Soulignez les verbes conjugués dans le texte 2.

c. ** Dans quel texte la pièce semble-t-elle vide ?
○ texte 1   ○ texte 2

d. ** Qualifiez l'atmosphère qui semble régner dans la pièce décrite dans chaque texte.

Texte 1 : ....

Texte 2 : ....

e. ** Écrivez *réaliste* ou *fantastique* au-dessus de chaque texte.

J'utilise les mots pour dire l'étrange et la peur

4 ** **ORTHO** Retrouvez les synonymes du mot « *étrange* ». Seule la première lettre est bien placée.

snnaperutr   ....

ciruxeu   ....

evagnattrax   ....

énnnatto   ....

iabelhintu   ....

5 ** **ORTHO** Placez les verbes au bon endroit en les conjuguant au passé simple.

se dresser • se glacer • se nouer • parcourir • perler • trembler.

Des frissons .... son corps, la sueur .... sur son front, sa gorge .... , les cheveux .... sur sa tête, il .... de tous ses membres, son sang ....

6 ** Formez des phrases pour susciter la peur, en utilisant la figure indiquée entre parenthèses.

(comparaison) La lune ....

(personnification) Un arbre ....

(métaphore) La route ....

J'enrichis mon vocabulaire   **ORTHO**

7 ** Formez des familles de mots.

Nom	Adjectif qualificatif	Verbe
angoisse		
crainte	craintif	
		s'affoler
effroi		
	épouvantable	
		stupéfier
terreur		

J'applique ce que j'ai appris pour écrire ☺

Décrivez la façade de votre collège de façon réaliste, en une phrase. Transformez ensuite votre description pour la rendre fantastique.

....
....
....
....
....
....
....

12 Le vocabulaire des médias

J'observe et je manipule

1 **a. Soulignez le radical de chaque mot, reliez-le à sa définition à l'aide de flèches.**

un mensuel •   • qui parait chaque semaine

un journal •   • qui parait chaque jour

un hebdomadaire •   • qui parait chaque mois

b. Trouvez un synonyme du mot « journal » formé sur le mot latin *dies* qui signifie « *jour* ».

....

bilan **Par quoi les publications de la presse sont-elles définies ?**

○ leur nombre de pages   ○ leur périodicité   ○ leur format

2 On lisait dernièrement dans les journaux les lignes suivantes :

Boulogne-sur-Mer, 22 janvier. — On nous écrit :

« Un affreux malheur vient de jeter la consternation parmi notre population maritime déjà si éprouvée depuis deux années. Le bateau de pêche commandé par le patron Javel, entrant dans le port, a été jeté à l'Ouest et est venu se briser sur les roches du brise-lames[1] de la jetée.

« Malgré les efforts du bateau de sauvetage et des lignes[2] envoyées au moyen du fusil porte-amarre, quatre hommes et le mousse ont péri.

« Le mauvais temps continue. On craint de nouveaux sinistres. »

G. de Maupassant, « En mer », *Contes de la Bécasse*, 1883.
1. construction à l'entrée du port qui protège des tempêtes.
2. cordes.

a. Quelle information est donnée par le journal ?

○ un incendie   ○ un naufrage

b. Où et quand a été écrit cet article de journal ?

....

....

c. À quelle voix est conjugué le verbe « a été jeté » ?

○ voix active   ○ voix passive

d. Inventez un groupe nominal pour remplacer le pronom on.

....

....

bilan **Donnez un titre à cet article de journal.**

....

Je retiens

1. Les médias utilisent différents circuits d'information : la **presse**, la **radio**, la **télévision** et **internet**.

2. Les publications sont définies par leur **périodicité**, leur **spécialisation** (monde, sciences, sports...) et leur **lectorat** (jeune public, sénior...).

3. Les caractéristiques de l'écriture journalistique sont :
   – la **nominalisation** des titres ;
   – les indications de **lieu** et de **temps** ;
   – l'emploi de la **voix passive** pour présenter les faits ;
   – l'emploi des **tournures impersonnelles** avec des **pronoms indéfinis**.

mensuel → **hebdomadaire** **quotidien - journal**

AVRIL				
1 Lundi	8 Lundi	15 Lundi	22 Lundi	29 Lundi
2 Mardi	9 Mardi	16 Mardi	23 Mardi	30 Mardi
3 Mercredi	10 Mercredi	17 Mercredi	24 Mercredi	
4 Jeudi	11 Jeudi	18 Jeudi	25 Jeudi	
5 Vendredi	12 Vendredi	19 Vendredi	26 Vendredi	
6 Samedi	13 Samedi	20 Samedi	27 Samedi	
7 Dimanche	14 Dimanche	21 Dimanche	28 Dimanche	

Mes exemples **Citez le titre d'un quotidien (1), d'un hebdomadaire (2) et d'un mensuel (3).**

1. ....   **2.** ....   **3.** ....

Je m'exerce

Je manipule le vocabulaire des médias

3 a. ** **Classez les mots suivants selon leur synonyme.** *Aidez-vous d'un dictionnaire si besoin.*

gazette • brève • revue • canard • éditorial • feuille de chou • chronique • entrefilet • quotidien.

Synonymes de journal	Synonymes d'article

b. *** **Entourez en bleu les mots appartenant au registre familier.**

4 Je viens de lire ceci dans la *Revue du Monde scientifique* : « Une nouvelle assez curieuse nous arrive de Rio de Janeiro. [...] »

G. de Maupassant, *Le Horla*, 1887.

a. * **Quel est le domaine de spécialisation de la revue ?**

b. ** **Transformez la phrase en jaune en titre d'article de journal.**

J'utilise les tournures passives

5 a. ** **ORTHO** **Complétez les formes verbales à la voix passive avec la terminaison qui convient : -e, -s, -es.**

1. Une baleine a été repéré ..... au large des côtes atlantiques par un gardien de phare.

2. Les convocations seront envoyé ..... très prochainement par la principale.

3. Les trains sont annoncé ..... avec un quart d'heure de retard par le chef de gare.

b. *** **À la voix passive, avec quel élément le participe passé s'accorde-t-il ?**

◯ le sujet   ◯ le complément essentiel

c. ** **Les compléments d'agent sont-ils indispensables à l'information donnée ?**

6 a. ** **Mettez ces phrases à la voix passive.**

1. La tempête a causé de nombreux dégâts.

2. La pollution provoque des maladies respiratoires.

3. Le gouvernement annoncera de nouvelles réformes.

b. *** **Pouvez-vous rétablir le complément d'agent dans la phrase suivante ? Pourquoi ?**

Les chefs d'État seront accueillis avec faste.

J'emploie les caractéristiques de l'écriture journalistique

7 a. ** **Donnez le nom commun formé sur les verbes suivants.**

alléger :

débuter :

b. *** **Transformez les phrases verbales suivantes en phrases nominales afin d'obtenir des titres de journaux.**

1. L'État allège les impôts.

2. Les vacances scolaires débutent pour la zone C.

J'applique ce que j'ai appris pour écrire ☺

Rédigez une brève pour informer vos camarades d'un fait survenu au collège. Vous respecterez les caractéristiques de l'écriture journalistique.

Avez-vous bien compris ces leçons sur les figures de style et le vocabulaire ? Vérifiez en lisant le texte et en répondant aux questions d'un des trois groupes.

« La photographie »

Le narrateur regarde une photographie.

On pouvait lui trouver quelque chose d'insolite, une impression diffuse qui me dérangeait [...]. Sur le lac, on voyait une barque, perdue au loin, minuscule.

5 Je mis un certain temps à me rendre à l'évidence, même si elle me paraissait difficile à accepter : la barque, de semaine en semaine, avançait. C'est ainsi. [...] La barque grandissait parce qu'elle avançait sur le lac, venue de quelque loin-
10 tain rivage pour se diriger vers le bord extérieur du cliché. Autant dire vers moi.

Un jour, je pus distinguer deux personnages dans la barque. L'un ramait, l'autre assis plus en avant semblait ne rien faire. [...] Le personnage
15 placé à la proue ne pouvait être qu'une femme.

Comme la barque se dirigeait vers moi, chaque jour qui passait donnait du poids, de la présence aux deux personnages. Mais seule la femme m'intéressait. Jusqu'au moment où l'in-
20 quiétude, puis l'effroi s'en mêlèrent parce que je la reconnaissais.

Impossible de la confondre avec une autre : ses longs cheveux raides et blonds, ses yeux si froids qu'ils paraissaient éteints, son corps trop
25 massif et menaçant dans son immobilité, tout en elle me donnait froid dans le dos. Surtout qu'elle me dévisageait les yeux dans les yeux, sans aucune trace de sentiment, et sur ses genoux il y avait un fusil dont le canon également me lor-
30 gnait de son œil de cyclope meurtrier.

J. Sternberg, *Histoires à mourir de vous*,
© éditions Denoël, 1991.

Je repère

1. À votre avis, *insolite* **(l. 1-2) signifie :**

◯ étrange ◯ naturel ◯ ordinaire

2. Relevez dans les lignes 16 à 21 deux noms qui désignent un sentiment.

3. Soulignez les éléments qui inquiètent le narrateur dans le portrait de la femme (l. 22 à 30).

4. Dans le dernier paragraphe, encadrez une expression figurée.

Je manipule

5. À votre avis, de quel sentiment la femme est-elle animée ?

◯ dédain ◯ haine ◯ nostalgie

6. Réécrivez « Jusqu'au moment ... mêlèrent », **(l. 19-20) en insérant deux autres noms communs exprimant la peur.**

J'écris

7. Rédigez un paragraphe dans lequel vous raconterez la suite et la fin de l'histoire, à la première personne.
Vous veillerez à respecter les temps du récit.

Groupe 1, 2 ou 3 : *je rédige en respectant la consigne 7*

Groupe 2

Je repère

1. Proposez un synonyme d'*insolite* l. 1-2.

2. Relevez dans les lignes 16 à 21 deux noms communs qui désignent un sentiment.
À quel champ lexical appartiennent-ils ?

3. Surlignez les adjectifs qualificatifs dans le portrait de la femme.

Ils sont pour la plupart :
○ rassurants.   ○ inquiétants.

4. Dans le dernier paragraphe, soulignez une personnification.

Je manipule

5. À votre avis, de quel sentiment la femme est-elle animée ?

6. **Réécrivez** « Jusqu'au moment ... mêlèrent » (l. 19-20) en insérant deux autres noms exprimant le même sentiment.

J'écris

7. Le narrateur décide de se débarrasser de la photographie. Rédigez ce qu'il écrit dans son journal intime, en insérant cinq noms communs exprimant des sentiments personnels.

Groupe 3

Je repère

1. Proposez trois synonymes d'*insolite* l. 1-2.

2. Relevez dans les lignes 16 à 21 deux noms communs qui désignent un sentiment. Complétez le champ lexical auquel ils appartiennent par trois autres noms communs.

3. Soulignez les mots qui rendent la femme inquiétante.

4. Nommez les figures de style dans le dernier paragraphe.

Je manipule

5. À votre avis, de quel sentiment la femme est-elle animée ? Pourquoi ?

6. **Réécrivez** « Jusqu'au moment ... mêlèrent », (l. 19-20) en insérant une gradation.

J'écris

7. Le lendemain, on retrouve le cadavre du narrateur. Rédigez le court article que vous feriez paraitre dans le journal pour raconter les circonstances de sa mort.

Compétences évaluées ☺ 😐 ☹	
J'évalue mes acquis en complétant chaque smiley.	
1. J'ai identifié le vocabulaire des sentiments.	☺
2. J'ai repéré les indices lexicaux du récit fantastique.	☺
3. J'ai employé des figures de style.	☺
4. J'ai su rédiger en fonction d'un genre littéraire précis.	☺

• Dans cette double page, vous allez **réviser** ce que vous avez déjà appris pour vous **préparer** aux leçons qui vont suivre.

• **Lorsque vous en avez besoin**, vous pouvez consulter la *Boîte à outils* et cocher au fur et à mesure les outils que vous avez utilisés.

Les fenêtres étaient fermées. Avant de me déshabiller, j'en ouvris une pour respirer l'air frais de la nuit, délicieux après un long souper. En face était le Canigou, d'un aspect admirable en tout temps, mais qui me parut ce soir-là la plus belle montagne
5 du monde, éclairé qu'il était par une lune resplendissante. Je demeurai quelques minutes à contempler sa silhouette merveilleuse, et j'allais fermer ma fenêtre, lorsque, baissant les yeux, j'aperçus la statue sur un piédestal à une vingtaine de toises[1] de la maison. Elle était placée à l'angle d'une haie vive qui séparait
10 un petit jardin d'un vaste carré parfaitement uni, qui, je l'appris plus tard, était le jeu de paume de la ville. Ce terrain, propriété de M. de Peyrehorade, avait été cédé par lui à la commune, sur les pressantes sollicitations de son fils.

P. Mérimée, *La Vénus d'Ille*, 1837.

1. environ 40 mètres.

Je vérifie ma compréhension de l'extrait

a. La scène se déroule
○ le jour
○ la nuit
○ à la campagne
○ à la montagne

b. Le narrateur est
○ M. de Peyrehorade, le propriétaire
○ son fils
○ un personnage qui raconte à la 1ʳᵉ personne
○ la statue

▶ *Boîte à outils* **1**

c. Relevez quatre éléments que le narrateur voit de la fenêtre de sa chambre.

....

....

....

....

....

....

▶ *Boîte à outils* **2**

---

❶ *Je sais distinguer un déterminant d'un pronom*

a. Les mots en vert sont tous des déterminants.
○ vrai   ○ faux

b. Les mots en bleu sont tous des pronoms.
○ vrai   ○ faux

c. Soulignez deux déterminants de classe grammaticale différente. Savez-vous nommer ces classes ?

....

....

....

d. Surlignez deux pronoms de classe grammaticale différente. Savez-vous nommer ces classes ?

....

....

....

▶ *Boîte à outils* **3**

Compétences réactivées

Dans cet atelier, je vérifie que je sais :
✔ Distinguer les déterminants des pronoms
✔ Identifier le nom noyau d'un GN
✔ Repérer les éléments qui complètent
le nom noyau

2 Je sais identifier le nom noyau d'un groupe nominal

a. Recopiez trois groupes nominaux du texte constitués selon le modèle : déterminant + nom.

....

....

....

b. Encadrez le nom noyau de chaque groupe nominal souligné dans le texte.

c. À quelle classe grammaticale appartiennent les mots qui complètent le nom noyau ?

....

....

Boite à outils 4 ➡

3 Je sais repérer les éléments qui complètent le nom noyau

a. Reliez chaque nom de la colonne du milieu à deux expansions.

pressantes •
frais •
délicieux •
vaste •
(parfaitement) uni •

• L'air •
• Un carré
Le jeu •
• Les sollicitations •

• de la ville
• de paume
• de la nuit
• de son fils

[......................] [......................] [......................]

b. Comparez vos réponses avec l'extrait. Que remarquez-vous ? Plusieurs réponses sont-elles possibles ?

....

c. Recopiez ces étiquettes à l'endroit qui convient, sous les colonnes.

| GN prépositionnel | adjectif qualificatif | déterminant + nom |

d. Trouvez deux points communs à ces expansions du nom.

A. qui me parut ce soir-là la plus belle montagne du monde
B. qui séparait un petit jardin d'un vaste carré
C. qui était le jeu de paume de la ville.

Elles contiennent toutes :

1. .... 2. ....

Dans le texte, retrouvez le nom complété par chaque expansion.   A. ....   B. ....

C. ....

Où se trouve-t-il toujours ? ....

....

Boite à outils 5 ➡

➡ *Boite à outils* ⬅

○ 1 Après une première lecture, je vérifie que je peux indiquer où et quand se passe l'histoire, qui la raconte.

○ 2 Pour m'aider, je peux dessiner la scène.

○ 3 Les déterminants précisent le genre et le nombre d'un nom. Ce sont les articles et les déterminants (possessifs, démonstratifs...).
Les pronoms remplacent un nom. Ils peuvent être personnels, démonstratifs, possessifs ou relatifs.

○ 4 Le GN est constitué au minimum d'un déterminant et d'un nom. On peut l'enrichir par des expansions du nom qui vont le préciser.

○ 5 Comme l'adjectif qualificatif et le GN prépositionnel, la proposition subordonnée relative complète le nom, son antécédent.

Les accords dans le groupe nominal

J'observe et je manipule

1 Le Thénardier était un homme petit, maigre, blême, anguleux, osseux, chétif, qui avait l'air malade et qui se portait à merveille ; sa fourberie commençait là.

V. Hugo, *Les Misérables*, 1862.

a. Combien cet extrait contient-il d'adjectifs qualificatifs épithètes ? ○ 5　○ 6　○ 7

b. Sont-ils tous ?

○ au féminin　○ au masculin　○ on ne peut pas savoir

c. Parmi ces adjectifs, combien changent d'orthographe au pluriel ? ○ 2　○ 4　○ 6

2 Les lecteurs ont peut-être, dès sa **première** apparition, conservé le souvenir de cette Thénardier grande, blonde, rouge, **grasse**, charnue, carrée, énorme et agile.

Ibid.

a. Quel est le masculin des adjectifs en gras ?

....

b. Dans cet extrait, combien d'adjectifs qualificatifs ont la même forme au masculin et au féminin ?

○ 1　○ 2　○ 3

3 Alors un **grand** homme à figure **brûlée**, à l'aspect **grave**, un de ces hommes qu'on sent avoir traversé de **longs** pays **inconnus**, au milieu de dangers **incessants** […], parla pour la **première** fois.

G. de Maupassant, « La peur », 1882.

a. Encadrez les mots avec lesquels s'accordent les adjectifs en gras.

b. Quel mot du groupe nominal vous permet d'accorder correctement les adjectifs ?

....

bilan **Que devez-vous savoir sur ce mot pour accorder correctement l'adjectif ?**

....

Je retiens

1. Un **groupe nominal** est composé au minimum d'un **nom** (le « noyau ») et d'un **déterminant.**
Il peut être enrichi par un ou plusieurs adjectifs qualificatifs épithètes.

2. L'**adjectif qualificatif épithète** s'accorde **en genre** et **en nombre** avec le **nom** auquel il se rapporte :

Former le féminin d'un adjectif qualificatif	Exemples	Former le masculin pluriel d'un adjectif qualificatif	Exemples
Ajouter un **-e**	*présente, gaie*	**Ajouter** un **-s**	*présents, gais*
Doubler la **consonne finale** et ajouter un **-e**	*ancienne, mignonne, nette, grasse*	**Modifier** la terminaison **-al** en **-aux**	*amicaux* mais *banals, bancals, fatals, natals, navals*
Modifier le **suffixe**	*précieux → précieuse* *doux → douce*	**Ajouter** un **-x** à l'**adjectif** en **-eau.**	*nouveaux*

3. Un même adjectif peut **qualifier plusieurs noms** ; il s'accorde alors au **pluriel.**

4. Les **adjectifs de couleur** ne s'accordent pas :
– quand ils ont pour origine un nom (ex. des pulls orange, des jupes marron) ;
– quand ils sont nuancés (ex. des yeux bleu clair).

Mon exemple Écrivez un GN féminin pluriel contenant quatre épithètes.

....

Je m'exerce

J'identifie les accords dans le GN

4 * **Entourez le nom avec lequel s'accorde chaque adjectif qualificatif souligné.**

Le <u>nouveau</u> quartier est composé de ruelles <u>étroites</u> qui rejoignent l'artère <u>centrale</u> avec ses <u>luxueuses</u> boutiques et ses restaurants <u>étoilés</u>.

5 * **Soulignez les GN correctement écrits et corrigez les autres.**

des cheveux gris	des cheveux poivre et sel
des cheveux châtain	des cheveux blond
des yeux marron	des yeux bleu turquoise

J'emploie des adjectifs épithètes

6 * **ORTHO Replacez chaque adjectif à l'endroit qui convient.**

centenaires • charmante • communes • curieux • entourée • étrangères • magnifique • impressionnants.

Ils habitaient une maison _____, _____ d'un _____ jardin. Les arbres _____ étaient d'une hauteur et d'un aspect _____. Les personnes _____ à la propriété étaient accueillies par un _____ domestique d'une politesse et d'une amabilité peu _____.

7 ** **Remplacez l'adjectif qualificatif souligné par un synonyme dont l'initiale vous est donnée. Le nombre de lettres correspond au nombre de pointillés.**

1. des ordinateurs <u>nouveaux</u>/
des ordinateurs n _____

2. des paroles <u>aimables</u>
des paroles d _____

3. un camarade <u>doué</u>/
un camarade t _____

4. de <u>vieilles</u> boites/
des boites a _____

8 ** **Ajoutez à chaque adjectif le suffixe féminin.**

1. une créature hid_____

2. une fille charm_____

3. une figure grac_____

4. une démarche lourd_____

5. une bel_____ musique

6. des paroles dou_____

7. une voix plaint_____

8. une personne ch_____

Je m'entraine à la réécriture   **ORTHO**

9 * **Réécrivez cet extrait en remplaçant *porte* par *porche*.**

> Arrivé devant sa porte, une vieille porte ronde et basse, bardée de fer, Claude, aveuglé par la pluie, tâtonna pour tirer le bouton de la sonnette [...].
> **É. Zola**, *L'Œuvre*, 1886.

10 ** **Réécrivez l'extrait de l'exercice 9 en remplaçant *Claude* par *Christine*.**

J'applique ce que j'ai appris pour écrire ☺

Écrivez la dictée lue par votre enseignant-e. Relisez-vous. Entourez dans chaque GN le nom noyau et vérifiez les accords.

Le narrateur est un homme.

Les déterminants et pronoms indéfinis

Connaissances et compétences visées

Dans cette leçon, je vais apprendre à :

✔ Reconnaitre les déterminants et les pronoms indéfinis
✔ Utiliser et accorder ces mots lorsque c'est nécessaire

J'observe et je manipule

1 Depuis la veille, **on** n'avait rien mangé. **Tout** le jour, nous restâmes cachés dans une grange, serrés les uns contre les autres pour avoir moins froid, les officiers mêlés aux soldats, et **tous** abrutis de fatigue. **Quelques** sentinelles[1], couchées dans la neige, surveillaient les environs de la ferme abandonnée qui nous servait de refuge pour nous garder de **toute** surprise. **On** les changeait d'heure en heure, afin de ne les point laisser s'engourdir. Ceux de nous qui pouvaient dormir dormaient ; **les autres** restaient immobiles […].

G. de Maupassant, « Souvenir », 1882
1. soldats chargés d'assurer la garde.

a. Pouvez-vous retrouver qui est précisément désigné par les mots en bleu ?   ○ oui   ○ non

b. *Quelques* est suivi d' :   ○ un nom.   ○ un verbe.

Quelques est :
○ un déterminant indéfini.
○ un pronom indéfini.

c. *Les autres* est suivi d' :   ○ un nom.   ○ un verbe.

Les autres est :
○ un déterminant indéfini.
○ un pronom indéfini.

bilan **Dans les passages surlignés, *tout* est un déterminant.**
○ dans les 3   ○ dans le 1e et le 3e   ○ dans le 2e

2 Reliez chaque mot en gras à la classe grammaticale à laquelle il appartient.

1. Vous proposerez **plusieurs** solutions. •
2. **Plusieurs** sont possibles. •
3. **Certains** exercices sont plus difficiles que d'autres. •
4. **Tous** ont été faits dans le cahier. •

• déterminant indéfini
• pronom indéfini

bilan Réécrivez les phrases 2 et 4 en commençant par :

Aucune ....

Aucun ....

Quel mot avez-vous ajouté aux phrases de départ ? ....

3 Complétez les phrases suivantes par : *nul • tel • telle • telles*.

1. .... est pris qui croyait prendre.

2. Il a fait preuve d'une .... audace que nous avons été stupéfaits.

3. .... ne comprendrait son absence en de .... circonstances.

bilan Entourez les pronoms indéfinis. Soulignez les déterminants indéfinis.

Je retiens

1. Les **déterminants indéfinis** indiquent l'imprécision de l'identité ou de la quantité du nom qu'ils accompagnent. Ils peuvent être associés à un autre déterminant.

2. Les **pronoms indéfinis** remplacent des éléments imprécis. S'ils ont un sens négatif, ils sont toujours accompagnés de la négation « ne » : *aucun ne…*

Indéfinis

Déterminants
le plus souvent devant un nom
Ex. : aucun, chaque, certains, quelques, nul, peu de, plusieurs, tel, la plupart...

Pronoms
• le plus souvent devant un verbe
• accompagnés de la négation « ne/n' » dans le cas d'une quantité nulle ou de sens négatif
Ex. : on, certains, rien, tout, plusieurs, quelqu'un...

Mes exemples Complétez les phrases (1) et (2).

1. GN avec un déterminant indéfini .... ⎫
2. Pronom indéfini .... ⎬ participent au voyage.

J'identifie les pronoms et les déterminants indéfinis

4 * **Dans ces vers de V. Hugo, les mots en gras sont-ils des pronoms ou des déterminants indéfinis ? Cochez la bonne case.**

1. Tout globe obscur gémit ; **toute** terre est un bagne.
○ pronom indéfini   ○ déterminant indéfini

2. Tout est joie, innocence, espoir, bonheur, bonté.
○ pronom indéfini   ○ déterminant indéfini

3. Je bravais **tout** ; rien ne me faisait mal.
○ pronom indéfini   ○ déterminant indéfini

5 ** **Surlignez les groupes nominaux qui contiennent un déterminant indéfini.**

1. Aucune nouvelle information ne nous est parvenue.
2. De telles précisions sont essentielles pour comprendre la situation.
3. Tout le pays retient son souffle.
4. Un tel silence surprend : aucun bruit ne perturbe les quelques instants qui suivent son discours.
5. Peu de personnes ont jamais assisté à quelque chose de pareil.

6 a. ** **Encadrez les pronoms indéfinis.**

b. *** **Par quel pronom ou GN pouvez-vous remplacer** *on* **dans la dernière phrase ?**

....

....

Il y a autant de journalismes que de journalistes, presque. C'est-à-dire que certains vont faire des interviews politiques, d'autres vont être des journalistes sportifs et suivre les matchs de football, d'autres encore vont aller à l'Assemblée nationale et rendre compte des débats. Moi je suis grand reporter, donc quand il se passe quelque chose, en général d'inattendu, […] quand il se passe une guerre, une révolution, on est envoyé à l'étranger, ou en France d'ailleurs, et on rend compte de ce qui se passe.

F. Aubenas, *Interview pour Jardin des Lettres 4e*, © Magnard, 2016.

J'accorde les déterminants et les pronoms indéfinis

7 * **ORTHO** **Complétez les phrases par** *nul* **et** *tel*. **Attention aux accords !**

1. Après de .... propos, nous n'avons plus rien à nous dire.
2. Vous n'avez .... raison de vous inquiéter.
3. .... père, ... fils.
4. Pourquoi de .... résultats ?
5. .... n'est parfait.

8 ** **Remettez chaque déterminant et pronom à l'endroit qui convient :** *beaucoup de • certains • la plupart de • quelqu'un • quelque chose.*

1. .... ces exercices ont été réussis.
2. .... exercices m'ont demandé .... temps.
3. Il y a .... qui m'échappe : .... pourrait-il m'éclairer ?

Je prépare la dictée   **BREVET**

9 ** **Écrivez la dictée lue par votre enseignant-e. Relisez-vous. Entourez les pronoms indéfinis sujets.**

....

....

....

....

....

....

....

J'applique ce que j'ai appris pour écrire ☺

Rédigez un texte dans lequel vous racontez à un-e ami-e une fête à laquelle il/elle n'a pas assisté. Utilisez au moins trois déterminants indéfinis et trois pronoms indéfinis.

....

....

....

....

....

....

15

Le pluriel des noms composés

Connaissances et compétences visées

Dans cette leçon, je vais apprendre à :
- ✓ Identifier un nom composé et chacun de ses éléments
- ✓ Orthographier le pluriel des noms composés

J'observe et je manipule

1 Notre grand-père retira de son porteclé un passepartout et ouvrit la porte du rez-de chaussée. Trois tables de pingpong étaient recouvertes d'un pêlemêle d'objets. Il alluma ; une chauvesouris s'envola. Je me crus dans un téléfilm. Grand-père nous montra sa collection d'ouvre-boites de toutes tailles et des portefeuilles remplis de laissez-passer.

Combien de noms composés sans trait d'union se sont-ils glissés dans ce texte ?

○ 3   ○ 7   ○ 11

bilan Relevez les noms composés avec trait d'union.

....

....

2 Dans chaque phrase, entourez le nom qui, à l'origine, s'écrivait en plusieurs mots.

1. Les gendarmes sont rapidement intervenus sur les lieux.

2. Laissez revenir puis déglacez avec du vinaigre de framboise.

3. Le hautbois est un instrument à anche.

4. Nous avons trouvé un portemonnaie.

5. On annonce de la neige ce weekend.

3 Reliez chaque mot en gras à la classe grammaticale à laquelle il appartient.

1. Tes parents ont pris **rendez**-vous avec ton professeur principal. •

2. Ma sœur a préparé un assortiment de **hors**-d'œuvre. •

3. Mon frère a fait cuire un quatre-**quarts**. •

4. Lisez attentivement les **contre**-indications sur la notice. •

- • verbe
- • nom
- • préposition

4 **a.** Retrouvez le nom composé pluriel correspondant à chaque définition.

1. Écharpes qui peuvent couvrir le bas du visage s'il fait froid : ....

2. Navires construits pour la navigation arctique : ....

3. Plateaux fixés sur un vélo permettant de transporter des objets : ....

b. À quelle classe grammaticale appartient à chaque fois le premier mot ?

....

bilan Que pouvez-vous en conclure ? ....

 ## Je retiens

Les **noms composés** contiennent **plusieurs éléments**, qui peuvent être soudés ou bien liés par un trait d'union.

1. Dans certains noms composés, avec l'évolution de la langue, **les éléments ont fusionné**. Ces noms s'écrivent **au pluriel comme des noms simples**.

2. Dans les noms composés **avec trait d'union**, seuls les **noms et adjectifs s'accordent au pluriel**.

3. Quand un nom composé est formé de **deux noms** ou d'un **nom accompagné d'un adjectif**, les **deux éléments prennent la marque du pluriel**, sauf si le sens l'interdit.

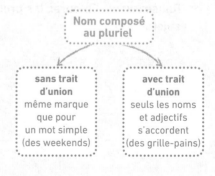

Mon exemple Rédigez une phrase contenant trois mots composés.

....

Je m'exerce

J'identifie les noms composés et leur pluriel

5 **a.** * **Entourez les noms composés.**

1. Les élèves seront libérés en fin d'après-midi.

2. Cet article dénonce la situation des sans-abris.

3. D'après nos informations, les pourparlers sont en cours.

4. Tu attends la contre-expertise avant de te prononcer.

5. Il y a trop de sous-entendus dans son discours.

b. ** **À quelle classe grammaticale appartient le premier élément qui les compose ?**

6 ** **ORTHO** **Pour chaque nom composé, indiquez quelle est sa forme au pluriel.**

1. Il construit une maquette représentant un porte-avion.
○ des portes-avion   ○ des portes-avions
○ des porte-avions

2. Zola a écrit un chef-d'œuvre.
○ des chef-d'œuvres   ○ des chefs-d'œuvre
○ des chefs-d'œuvres

3. Il a changé le garde-boue de son vélo.
○ les garde-boue   ○ les gardes-boues
○ les gardes-boue

J'emploie les noms composés au pluriel

7 **a.** * **Complétez ces phrases par des noms composés.**

1. Les parents de mes parents sont mes _____

2. Les maris de mes sœurs sont mes _____

3. Pour ma mère, les filles de mon frère sont ses _____

b. ** **Précisez la classe grammaticale des deux éléments des noms que vous avez trouvés pour justifier leur orthographe au pluriel.**

8 ** **ORTHO** **Entourez la forme correcte.**

1. Kelly accroche son cartable au porte-bagage/porte-bagages de son vélo.

2. Les perce-neige/perce-neiges sont des fleurs qui annoncent le début du printemps.

3. Tous les après-midis/après-midi, il va chercher sa fille à l'école.

4. Thibaut a acheté des abat-jours/abat-jour à la brocante.

5. Pendant le match, l'arbitre a sifflé des hors-jeu/hors-jeux.

6. Il faut que vous achetiez des timbres-poste/timbres-postes.

7. Vous avez demandé des rinces-doigt/rince-doigts.

Je définis des mots composés

9 * **Voici cinq noms composés inventés par B. Vian :** *cire-godasses* • *repasse-limaces* • *chasse-filous* • *ratatine-ordures* • *efface-poussière*.

À votre tour, inventez trois noms composés, rédigez leur définition et employez-les au pluriel.

J'applique ce que j'ai appris pour écrire ☺

Vous revenez d'une brocante et décrivez ce que vous avez vu. Dans votre récit, utilisez au moins 5 de ces noms composés au pluriel.

cerf-volant • *casse-tête* • *tirebouchon* • *porteclé* • *portemanteau* • *dessous de plat* • *presse-papiers* • *canapé-lit*.

L'orthographe des mots composés de cette leçon respecte le B.O.100 du 6 décembre 1990 (rectifications orthographiques).

Les expansions du nom

J'observe et je manipule

1 **a. À quelle classe grammaticale appartiennent les mots soulignés ?** ....

Le Baiser de l'Hôtel de Ville est sans doute la plus .... <u>photographie</u> ....
Elle représente un .... <u>couple</u> .... devant une <u>terrasse</u> ....

b. Complétez cet extrait à l'aide des expansions suivantes.

| jeune | qui s'embrasse | de Robert Doisneau | célèbre | de café |

c. Qu'ont en commun les étiquettes vertes ? ....

d. Quel mot reconnaissez-vous dans l'étiquette orange ? ....

bilan **Connaissez-vous la classe grammaticale à laquelle appartiennent les mots dans les étiquettes bleues ?**

2 **a. Lisez cet extrait.**

Et **toutes les rues transversales** ressemblaient à **des canyons qui explosaient dans la nuit des lumières blanches** et, au-dessous, il y avait **les multitudes de New York**, **la mer de têtes**, **les tourbillons de la circulation**.

J. Kerouac, *Avant la route*, 1950, trad. D. Poliquin, éd. La Table Ronde, 1990.

b. Placez dans le tableau les différents éléments de chaque GN en gras.

Déterminants	Noms	Expansions du nom
toutes les	rues	transversales

3 **Complétez les noms en gras par trois expansions différentes de votre choix.**

1. Les .... **élèves** de .... dont .... seront réunis en salle polyvalente.

2. Mon cousin est bénévole dans une .... **association** de .... qui
....

3. Éric a inventé une .... **machine** à .... que ....

Je retiens

Les expansions précisent, complètent le nom noyau du groupe nominal. Elles ont pour **fonction** :

• **épithète** : l'**adjectif qualificatif**, ou participe passé employé comme adjectif, placé avant ou après le nom, s'accorde avec lui en genre et en nombre. On peut le déplacer et le supprimer.

• **complément du nom** : le **GN prépositionnel** est toujours placé après le nom qu'il complète.

• **complément de l'antécédent** : la **proposition subordonnée relative** est introduite par un **pronom relatif** qui représente le nom.

Mon exemple Écrivez un GN avec trois expansions du nom.

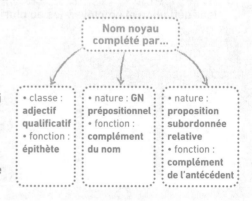

Nom noyau complété par...

• classe : **adjectif qualificatif**
• fonction : **épithète**

• nature : **GN prépositionnel**
• fonction : **complément du nom**

• nature : **proposition subordonnée relative**
• fonction : **complément de l'antécédent**

Je m'exerce

J'identifie les expansions du nom

4 * **Placez les expansions à l'endroit qui convient.**

Épithètes : grand, internationale
Compléments du nom : au chocolat, de l'avion
Compléments de l'antécédent : qui t'accueillera, que tu m'as conseillé.

1. Le départ _____ est retardé.

2. Le _____ Michu est une nouvelle de Zola.

3. Je ne parviens pas à trouver le livre _____
_____ .

4. Elle travaille pour une entreprise _____ .

5. Remets ce document à la personne _____
_____ .

6. Ces brioches _____ sont délicieuses.

5 ** **Indiquez la fonction des expansions du nom soulignées.**

Nous vous remercions de l'accueil <u>favorable</u>
(_____) <u>que vous réserverez à cette</u>
<u>demande</u> (_____) et
vous prions d'agréer l'expression <u>de nos salutations</u>
<u>distinguées</u>. (_____).

6 a.** **Entourez le pronom relatif et soulignez la proposition subordonnée relative.**

1. une affiche qui n'est pas lisible : _____

2. un sourire auquel on ne peut résister : _____

3. une saveur dont on n'a pas l'habitude : _____

4. un animal qui n'est pas dangereux : _____

b. ** **Écrivez sur les pointillés l'adjectif de même sens :** *illisible • inhabituelle • inoffensif • irrésistible.*

7 *** **Soulignez les épithètes puis remplacez-les par un GN prépositionnel de même sens.**

Ex. de <u>vieux</u> amis → de longue date

1. une soirée amicale → _____

2. un plat insipide → _____

3. une crêpe sucrée → _____

4. une randonnée cycliste → _____

5. un temps automnal → _____

6. un devoir surveillé → _____

J'accorde les adjectifs qualificatifs

8 ** **ORTHO** **Accordez les adjectifs qualificatifs si besoin.**

Tout à coup le feu prit un *étrange* _____ degré d'activité ; une lueur *blafard* _____ illumina la chambre, et je vis clairement que ce que j'avais pris pour de *vain* _____ peintures était la réalité ; car les prunelles de ces êtres *encadré* _____ remuaient, scintillaient d'une façon *singuli* _____ .

T. Gautier, *La Cafetière,* 1831.

Je prépare la dictée   **BREVET**

9 ** **Écrivez la dictée lue par votre enseignant·e. Relisez-vous. Entourez le participe passé de chaque proposition subordonnée relative et justifiez l'accord.**

_____
_____
_____
_____
_____
_____

J'applique ce que j'ai appris pour écrire ☺

Ajoutez des expansions afin d'obtenir un vaste GN étendu à partir des noms : *peur • air • ville.*

Exemple :   L'extrait
                Le nouvel extrait
            Le nouvel extrait de l'album
        Le nouvel extrait de l'album que j'écoute

_____
_____
_____
_____
_____

17 La proposition subordonnée relative

J'observe et je manipule

1

1. DON FERNAND
Généreux héritier d'une illustre famille,
Qui fut toujours la gloire et l'appui de la
[Castille,

P. **Corneille**, *Le Cid*, acte IV, scène 3, 1637.

2. DON RODRIGUE
Et je feins hardiment d'avoir reçu de vous
L'ordre qu'on me voit suivre et que je donne
[à tous.

Ibid.

a. Entourez les groupes nominaux complétés par chaque proposition en vert.

b. Les GN sont placés :　　　　❑ avant la proposition.　　❑ après la proposition.

bilan Le nom noyau du GN se nomme :　　❑ antécédent.　　❑ précédent.

2 Complétez les phrases à l'aide d'une proposition subordonnée.

1. J'aime beaucoup les nouvelles qui _____

2. Paris pourrait être la ville où _____

3. Le film dont _____ n'est plus à l'affiche.

bilan Relevez le pronom relatif qui introduit chaque subordonnée. _____

3

Nous autres, nous cachions tous dans nos pupitres du chocolat, des pots de confiture, jusqu'à de la charcuterie, qui nous aidèrent à ne pas manger tout à fait sec le pain dont nous emplissions nos poches. Lui, qui n'avait pas un parent dans la ville, et qui se refusait d'ailleurs de pareilles douceurs, s'en tint strictement aux quelques croûtes qu'il put trouver.

É. **Zola**, « Le grand Michu »,
Nouveaux contes à Ninon, 1874.

a. Les deux propositions encadrées complètent le même GN.

◯ Vrai　　◯ Faux

b. Réécrivez la deuxième phrase sans les propositions subordonnées relatives.

_____

_____

bilan Selon vous, pourquoi l'auteur a-t-il utilisé les expansions que vous n'avez pas recopiées ?

_____

_____

Je retiens

1. La proposition subordonnée relative est une expansion du nom.
Sa fonction est de compléter **ce nom, son antécédent.**

2. Elle contient un **verbe conjugué.**

3. Elle est introduite **par un pronom relatif simple** : *qui, que, quoi, où, dont,* ou **composé** : *lequel, auquel, duquel...* Le pronom est de même genre et de même nombre que l'antécédent qu'il remplace : *de laquelle, auxquels...*
Ce pronom a sa propre fonction dans la proposition subordonnée relative.

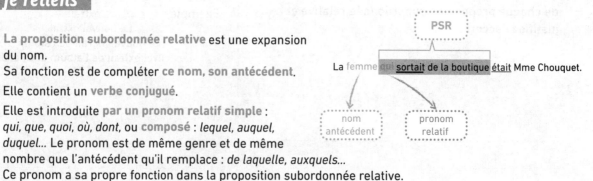

La femme qui sortait de la boutique était Mme Chouquet.

PSR

nom antécédent　　pronom relatif

Mon exemple Écrivez une phrase contenant une PSR que vous soulignerez.

J'identifie les pronoms relatifs

4 Des yeux qui font baisser les miens
Un rire qui se perd sur sa bouche
Voilà le portrait sans retouche
De l'homme auquel j'appartiens.

É. Piaf, « *La vie en rose* », 1945.

a. * **Entourez les pronoms relatifs.**

b. ** **Soulignez les trois propositions subordonnées relatives.**

5 Excusez mon état d'épuisement qui se traduit par un balbutiement spirituel que je devrais éviter à une intelligence comme la vôtre et croyez à des sentiments que je ne voudrais ni vous surfaire[1] ni vous cacher.

M. Proust, *Lettres*, 22 mai 1913.

1. Exagérer.

a. * **Entourez les trois pronoms relatifs.**

b. *** **Reliez chacun d'entre eux au nom qu'il remplace.**

Je manipule les propositions subordonnées relatives

6 * **Reformulez les GN prépositionnels en utilisant une proposition subordonnée relative. Choisissez des pronoms relatifs différents.**

1. Une amie d'enfance est

2. Une chanson d'amour est

3. Un voyage de rêve est

7 ** **Complétez ces phrases par une proposition subordonnée relative.**

1. J'aime les mots que

2. J'aime les personnes auxquelles

3. J'aime les histoires dont

8 ** **Transformez chaque fois les deux phrases en une seule pour supprimer les répétitions. Utilisez le pronom relatif donné.**

1. Ton ami vit au Portugal. Je ne connais pas ton ami. (qui)

2. Ton ami vit au Portugal. Je ne connais pas ton ami. (que)

3. Mon ami est portugais. Je te parle de mon ami. (dont)

9 *** **Complétez ce « questionnaire de Proust » par d'autres propositions.**

Ce que j'apprécie le plus chez mes amis • le pays où je désirerais vivre • les fautes qui m'inspirent le plus d'indulgence • la couleur que j'aime.

J'accorde les pronoms relatifs

10 * **ORTHO** **Réécrivez les phrases en utilisant le GN indiqué. Faites les modifications nécessaires.**

1. La déléguée de classe pour laquelle j'ai voté est efficace. *(le délégué)*

2. L'ami avec lequel je cours est inscrit dans un club. *(l'amie)*

3. Le souvenir auquel je pense me fait sourire. *(les histoires)*

4. L'ami duquel je me sens le plus proche est toujours content. *(les amies)*

J'applique ce que j'ai appris pour écrire ☺

À votre tour, rédigez une strophe pour faire le portrait d'un/e ami/e, en ajoutant des propositions subordonnées relatives.

Des yeux

Un rire

Voilà le portrait sans retouche

De l'ami/e

d'après **É. Piaf**

18 L'apposition

Connaissances et compétences visées

Dans cette leçon, je vais apprendre à :
✔ Repérer l'apposition
✔ L'utiliser pour enrichir un texte

J'observe et je manipule

1 **a. Lisez ces phrases à voix haute, en marquant nettement les pauses indiquées par les virgules.**

Cyrano, **un courageux mousquetaire des Cadets de Gascogne**, est affligé d'un énorme nez. **Amoureux de sa cousine**, **la belle Roxane**, il n'ose pas se déclarer. Cyrano, **désespéré**, accepte néanmoins d'aider le jeune Christian à la séduire.

b. Sur quel nom les groupes en gras apportent-ils une précision ?

○ Christian   ○ Cyrano   ○ Roxane

bilan **Expliquez l'accord de *désespéré*.**

....

....

2 **a. Lisez cet extrait.**

À vingt-six ans, Jacques avait épousé Félicie, une grande belle fille de dix-huit ans, la nièce d'une fruitière de la Villette, qui lui louait une chambre.

É. **Zola**, « Jacques Damour », 1888.

b. À quel mot la phrase aurait-elle pu s'arrêter ?

....

....

c. Qu'apporte la suite ?

....

....

bilan **Justifiez votre réponse en vous appuyant sur la ponctuation.**

....

3 Il y eut un grand silence. Poussée par le vent de la chute, une **poussière** épaisse montait dans les voies. Et, aveuglés, étouffés, les **mineurs** descendaient de toutes parts, des chantiers les plus lointains, avec leurs **lampes** dansantes, qui éclairaient mal ce galop d'hommes noirs, au fond de ces trous de taupe.

É. **Zola**, *Germinal*, 1885.

a. Dans le texte, entourez les mots ou groupes de mots qui complètent chaque nom en gras.

bilan **Où sont-ils placés par rapport au nom ? Peut-on les déplacer, les supprimer ?**

....

....

....

Je retiens

L'**apposition** donne des **informations sur un nom, un GN ou un pronom** avec lequel elle entretient une relation d'identité.

1. L'apposition peut être **avant ou après** ce nom, **proche ou éloignée**. Elle en est **généralement séparée par une virgule**.

2. La fonction d'apposition peut être remplie par un **adjectif qualificatif**, un **groupe adjectival**, un **nom**, un **GN**, un **infinitif**. Certaines **propositions relatives** peuvent aussi être apposées.

| , | apposition | , | nom/GN/pronom |

| nom/GN/pronom | , | apposition |

| nom/GN/pronom | Verbe (+ complément) | , | apposition |

Mon exemple Écrivez une phrase contenant une apposition que vous soulignerez.

....

J'identifie les appositions

4 * **Les groupes soulignés sont-ils des appositions (A) ou des compléments de phrase (C) ?**

1. Au lever du jour, les oiseaux se mettent à chanter. ......

2. Ce contrôle, que vous avez réussi, sera noté coefficient 2. ......

3. Ce voyageur, assis sur un banc, attend son train. ......

4. Sur un banc, j'aperçois un voyageur qui attend son train. ......

5 a. ** **Soulignez les appositions.**

1. Troublé par sa remarque, il baissa les yeux. ......

2. Sûr de son succès, l'humoriste répétait son spectacle. ......

3. Il ne rêvait que d'une chose, entendre le public l'acclamer. ......

4. Il revêt son manteau, une parka, souvenir de la guerre napoléonienne. ....

b. ** **Indiquez sur les pointillés s'il s'agit :**
– **d'un groupe nominal (GN),**
– **d'un groupe à l'infinitif (GI),**
– **d'un groupe adjectival (GA).**

Je maîtrise l'accord des appositions

6 * **ORTHO** **Complétez les phrases suivantes avec l'apposition qui convient.**

blessé • blessés • rénovée • rénovées

1. La salle à manger, ..., pouvait recevoir trente invités.

2. Les joueurs, ..., n'ont pu montrer tout leur talent.

3. ...., ces statues sont magnifiques.

4. ...., il quitte la table.

7 ** **ORTHO** **Entourez l'orthographe qui convient.**

1. Égarés/Égaré/Égarées dans la forêt, Hansel et Gretel cherchaient un refuge.

2. Les fleurs, cueillie/cueillis/cueillies au petit matin, tiennent longtemps.

3. Majestueux/Majestueuses/Majestueuse, les buses et les aigles planent dans le ciel.

4. Habitué/habitués/habituée à l'exercice, la journaliste le réussit avec brio.

J'enrichis des phrases avec des appositions

8 *** **ORTHO** **Inventez une apposition pour chaque mot ou GN souligné.**

1. ...., les plus jeunes enfants s'endormirent immédiatement.

2. Victor Hugo, ..., vécut au XIXᵉ siècle.

3. Son restaurant, ..., devient très réputé.

4. ...., quelle belle activité professionnelle !

9 *** **Complétez cet extrait par des appositions, selon les indications données entre parenthèses.**

Mes parents, ... (GN), habitaient une petite maison .... (adjectif) et .... (adjectif).
Jouer dans le jardin, ... (PSR), était pour nous un enchantement, ... (GN).

Réécrivez cet extrait en y ajoutant trois appositions.

Ce fut comme une apparition [...]. En même temps qu'il passait, elle leva la tête ; il fléchit involontairement les épaules ; et, quand il se fut mis plus loin, du même côté, il la regarda.

G. Flaubert, *L'Éducation sentimentale*, 1869.

Avez-vous bien compris ces leçons sur
le groupe nominal ?
Vérifiez en lisant cet extrait et en répondant
aux questions d'un des groupes.

L'apparition

Je m'assis dans un fauteuil, j'abattis la
tablette, j'ouvris le tiroir indiqué. Il était plein
jusqu'aux bords. Il ne me fallait que trois paquets, que je savais comment reconnaître, et je
5　me mis à les chercher.

Je m'écarquillais les yeux à déchiffrer les
suscriptions[1], quand je crus entendre ou plutôt sentir un frôlement derrière moi. Je n'y pris
point garde, pensant qu'un courant d'air avait
10　fait remuer quelque étoffe. Mais, au bout d'une
minute, un autre mouvement, presque indis-
tinct, me fit passer sur la peau un singulier petit
frisson désagréable. C'était tellement bête d'être
ému, même à peine, que je ne voulus pas me
15　retourner, par pudeur pour moi-même. Je venais
alors de découvrir la seconde des liasses qu'il
me fallait ; et je trouvais justement la troisième,
quand un grand et pénible soupir, poussé contre
mon épaule, me fit faire un bond de fou à deux
20　mètres de là. Dans mon élan je m'étais retourné,
la main sur la poignée de mon sabre, et certes, si
je ne l'avais pas senti à mon côté, mon sabre, je
me serais enfui comme un lâche.

Une grande femme vêtue de blanc me regar-
25　dait, debout derrière le fauteuil où j'étais assis
une seconde plus tôt.

Une telle secousse me courut dans les
membres que je faillis m'abattre à la renverse !
Oh ! personne ne peut comprendre, à moins de
30　les avoir ressenties, ces épouvantables et stu-
pides terreurs.

> **G. de Maupassant**, « Apparition », 1883.

1. nom sur une enveloppe.

Groupe 1

Je repère

1. Surlignez le groupe de mots qui complète le
nom *paquets* (l. 3-4).

2. Entourez les trois adjectifs qualificatifs qui
qualifient le nom *frisson* (l. 13).

3. Dans le dernier paragraphe, précisez la classe
grammaticale de :

telle : ....

personne : ....

Je manipule

4. Ajoutez deux expansions du nom à la première
phrase : épithète, complément du nom.

Je m'assis dans un .... fauteuil,
j'abattis la tablette ....

5. Réécrivez le troisième paragraphe (l. 24 à 26)
en supprimant un maximum de mots (il ne restera
que quatre mots dans votre phrase).

....

....

J'écris

6. Rédigez un paragraphe dans lequel vous
raconterez ce que fait le narrateur à la suite du
texte. Vous insèrerez les mots : *appareil photo,
demi-heure* et *porte-documents*.

Groupe 1, 2 ou 3 : *je rédige en respectant la consigne 6*

....

....

....

....

....

Groupe 2

Je repère

1. Quelle est la fonction de l'expansion « que je savais comment reconnaître » **(l. 4) ?**

2. Entourez les mots qui qualifient le nom *frisson*, (l. 13). À quelle classe grammaticale appartiennent-ils ?

3. Encadrez un déterminant indéfini et un pronom indéfini dans le dernier paragraphe.

Je manipule

4. Ajoutez trois expansions du nom à la première phrase.

Je m'assis dans un .... fauteuil, j'abattis la tablette

5. Réécrivez les lignes 24 à 26, en remplaçant les adjectifs qualificatifs par d'autres de même sens.

J'écris

6. Rédigez un paragraphe dans lequel vous raconterez ce que fait le narrateur à la suite du texte. Vous insèrerez au moins trois noms composés.

Groupe 3

Je repère

1. Précisez la nature et la fonction de l'expansion « que je savais comment reconnaître » **(l. 4).**

2. Entourez les expansions du nom « frisson », (l. 13). Précisez leur classe grammaticale et leur fonction.

3. Encadrez trois déterminants indéfinis et un pronom indéfini dans le texte.

Je manipule

4. Ajoutez trois expansions du nom à la phrase : épithète, CDN, complément de l'antécédent.

Je m'assis dans un .... fauteuil, j'abattis la tablette ....

5. ORTHO Réécrivez les lignes 24 à 26, en remplaçant les mots féminins par des mots masculins, et inversement.

J'écris

6. Rédigez un paragraphe dans lequel vous raconterez ce que fait le narrateur à la suite du texte. Vous insèrerez au moins deux noms composés au pluriel et une apposition.

Compétences évaluées	😊😐☹️
J'évalue mes acquis en complétant chaque smiley.	
1. J'ai ajouté ou supprimé des expansions du nom.	☺
2. J'ai distingué les pronoms et les déterminants indéfinis.	☺
3. J'ai bien orthographié les noms composés.	☺
4. J'ai su rédiger la suite d'un récit en respectant des contraintes.	☺

• Dans cette double page, vous allez **réviser** ce que vous avez déjà appris pour vous **préparer** aux leçons qui vont suivre.

• **Lorsque vous en avez besoin**, vous pouvez consulter la *Boîte à outils* et cocher au fur et à mesure les outils que vous avez utilisés.

Sur le parvis de la cathédrale Notre-Dame, Esmeralda, danseuse bohémienne, accusée d'un meurtre qu'elle n'a pas commis, est condamnée à la pendaison. Quasimodo, le bossu de Notre-Dame, enlève « l'Égyptienne » pour l'emmener dans la cathédrale où le droit d'asile est sacré.

Quasimodo **s'était arrêté** sous le grand portail. Ses larges pieds **semblaient** aussi solides sur le pavé de l'église que les lourds piliers romans. Sa grosse tête chevelue **s'enfonçait** dans ses épaules comme celle des lions qui eux aussi ont une crinière
5 et pas de cou. Il tenait la jeune fille toute palpitante suspendue à ses mains calleuses comme une draperie blanche : mais il la portait avec tant de précaution qu'il paraissait craindre de la briser ou de la faner. On eût dit qu'il sentait que c'était une chose délicate, exquise et précieuse, faite pour d'autres mains que les
10 siennes.

V. Hugo, *Notre-Dame de Paris*, 1831.

Ce que je peux savoir avant de lire l'extrait

a. Par quelle phrase commence l'extrait de *Notre-Dame de Paris* écrit par V. Hugo ?

....

....

....

b. Quel est le rôle des premières lignes en italique ?
○ résumer l'extrait
○ présenter l'extrait
○ expliquer l'extrait

Boîte à outils **1**

Je vérifie ma compréhension de l'extrait

c. Cet extrait comporte :
○ un personnage
○ deux personnages
○ trois personnages

d. Associez chaque reprise nominale au personnage concerné.

Esmeralda •   • l'Égyptienne
Quasimodo •   • le bossu de Notre-Dame
                   • la jeune fille

e. Quelle reprise nominale pouvez-vous inventer pour désigner Quasimodo ?

....

....

....

Boîte à outils **2**

---

1   Je sais reconnaitre un passage descriptif

a. À quel personnage renvoient les déterminants possessifs surlignés en jaune ?

....

b. Quel verbe en gras peut-on remplacer par le verbe « être » sans changer le sens du texte ?

....

c. Le début de l'extrait :
○ décrit Quasimodo.   ○ raconte les actions de Quasimodo.

d. Selon vous, à quel mot s'arrête la description physique de Quasimodo ?
○ romans   ○ cou   ○ blanche   ○ siennes
Justifiez votre réponse.

....

Boîte à outils **3**

Compétences réactivées

Dans cet atelier, je vérifie que je sais :

✔ Reconnaitre un passage descriptif
✔ Distinguer un verbe attributif d'un verbe d'action
✔ Reconnaitre un complément de verbe

2 — Je sais distinguer un verbe attributif d'un verbe d'action

« On eût dit qu'il sentait que c'était une chose délicate, exquise et précieuse, […]. »

a. De qui cet extrait fait-il la description ?

....

b. Quel verbe introduit cette description ?
○ eût dit   ○ sentait   ○ était

c. Pour chaque verbe, précisez s'il indique un état ou une action.

tenait •

portait •

paraissait •

• un état

• une action

 Boite à outils 4

3 — Je sais reconnaitre un complément de verbe

a. Encadrez la structure qui correspond à cette phrase.

« Il tenait la jeune fille […]. »

| sujet | verbe | complément direct |

| sujet | verbe | complément indirect |

 Boite à outils 5

b. Entourez le sujet du verbe.

« […] il la portait […] »

c. Quelle est la fonction grammaticale de « *la* » ?

....

....

....

 Boite à outils 6

d. Retrouvez dans le texte deux autres exemples de pronoms ayant la même fonction.

....

....

➡ Boite à outils ⬅

○ **1** Dans un manuel, les extraits proposés sont très souvent introduits par quelques lignes en italique. Elles permettent de situer l'extrait et de présenter les personnages.

○ **2** Dans un texte, les reprises nominales permettent d'éviter les répétitions et apportent des informations sur le nom qu'elles remplacent.

○ **3** Un passage descriptif peut décrire un personnage mais également ses actions. Dans un récit au passé, il est à l'imparfait.

○ **4** Pour reconnaitre un verbe d'état, on peut le remplacer par le verbe « être ».

○ **5** Le complément direct n'est pas introduit par une préposition contrairement au complément indirect.

○ **6** On appelle « fonction grammaticale » le rôle que joue un mot ou un groupe de mots dans une phrase, par exemple : sujet, complément essentiel...

19 Les compléments essentiels

J'observe et je manipule

1

Le <u>ciel</u> est, par dessus le toit,
　　Si bleu, si calme !
Un arbre, par-dessus le toit,
　　Berce sa palme.

P. Verlaine, « Le ciel est par-dessus le toit »,
Sagesse, 1881.

a. Entourez le complément du verbe en gras.

b. Pouvez-vous supprimer ce complément sans que la phrase perde sa signification ?

○ oui   ○ non

c. Relevez les deux adjectifs attribués au nom souligné.

....

bilan **Ces adjectifs sont-ils supprimables ? Justifiez votre réponse.**

....

2 a. Dans les phrases suivantes, pouvez-vous supprimer le complément ?

1. Je suis malade. •

2. Je vais à Marseille. •

3. Ce plat semble délicieux. •

4. La jeune fille porte un chemisier à pois. •

5. Je pars dans 5 minutes. •

• complément supprimable

• complément essentiel

**b. Classez le verbe des phrases précédentes dans une des deux catégories.
Un verbe ne peut pas être classé.**

Verbe attributif (ou verbe d'état)	Verbe transitif

c. Quel verbe n'avez-vous pas recopié ? ....

3 a. À l'aide de flèches, indiquez combien de compléments non supprimables et non déplaçables possède chaque verbe.

1. Le chat dort sur le fauteuil. •

2. Le film dure trois heures ! •

3. Je le dirai à mes amis. •

4. Viens me chercher à la gare. •

• 0

• 1

• 2

b. Pour chaque verbe, inventez une phrase où il sera suivi d'un complément essentiel.

écouter ....

devenir ....

Je retiens

Les **compléments essentiels** complètent un verbe : ils ne peuvent être **ni déplacés ni supprimés**. Il s'agit :

1. des **compléments direct** et **indirect**, qui complètent un **verbe d'action** (verbe transitif) ;

2. de l'**attribut du sujet** qui est introduit par **un verbe d'état** (verbe attributif) ;

3. de certains compléments **de lieu, de temps, de mesure, de poids et de prix** qui dépendent directement du verbe.

Mon exemple Écrivez une phrase contenant un complément essentiel.

....

56

J'identifie les compléments essentiels

4 * **Les phrases suivantes contiennent un complément essentiel : vrai ou faux ?**
Indiquez vos réponses à l'aide de flèches.

1. Elle dansa toute la nuit. •

2. Il danse parfaitement bien le tango. •

3. Elle parait toujours joyeuse. •

4. Ce journal parait le lundi. •

• vrai

• faux

5 * **Associez à chaque élément souligné la bonne étiquette.**

1. Les enfants jouent <u>au ballon</u> dans la cour. •

2. Il chante une berceuse <u>à sa fille</u>. •

3. Tu révises <u>tes leçons</u> tous les soirs. •

4. Je me méfie <u>de son témoignage</u>. •

• complément direct

• complément indirect

Je manipule les compléments essentiels

6 ** **Complétez chaque phrase par un complément essentiel.**

1. Je devine _____

2. Il collectionne _____

3. Si vous découvrez _____ , vous serez _____

7 a. * **Pour chaque complément souligné, entourez le verbe auquel il se rapporte.**

Quand ils eurent enjambé <u>ce barrage</u>, ils se trouvèrent <u>seuls</u>, <u>tous les deux</u> dans la ruelle. Personne ne <u>les</u> voyait plus. Le coude des maisons <u>les</u> cachait aux insurgés.

V. Hugo, « Jean Valjean », *Les Misérables*, 1862.

b. ** **Classez les verbes que vous avez entourés.**

Verbe attributif	Verbe transitif

8 *** **Réécrivez les phrases suivantes en remplaçant chaque complément essentiel par le pronom qui convient.**

Ex. : Ma mère offre les cadeaux. → Ma mère les offre.

1. Je poste le courrier.

→ _____

2. Me prêteras-tu cette robe pour la soirée ?

→ _____

3. Balaie les miettes de pain avant de remettre le tapis.

→ _____

4. Elle va chercher son frère à la gare.

→ _____

J'utilise différentes constructions grammaticales

9 ** **Inventez pour chaque verbe une courte phrase dans laquelle il est suivi d'un complément direct, et une autre dans laquelle il est suivi d'un complément indirect.**

Écrire 1. _____

2. _____

Tenir 1. _____

2. _____

J'applique ce que j'ai appris pour écrire ☺

Rédigez deux phrases pour présenter le personnage de votre choix.

Dans la première, vous utiliserez des verbes attributifs pour faire son portrait physique.

Dans la seconde, vous décrirez ses actions en utilisant des verbes d'action.

_____

_____

_____

_____

Les adverbes

Connaissances et compétences visées

Dans cette leçon, je vais apprendre à :
✔ Reconnaitre un adverbe
✔ Former des adverbes
✔ Utiliser des adverbes

J'observe et je manipule

1
Quand la nuit fut noire, très noire, je quittai mon refuge et me mis à marcher doucement, à pas lents, à pas sourds, sur cette terre pleine de morts.

G. de Maupassant,
« La morte », 1887.

a. Comment est qualifiée la nuit ? Quel mot permet d'insister ?

b. Dans le texte, relevez un mot synonyme des **expressions en jaune**.

bilan Sur quel mot ce synonyme est-il formé ?

2
Je lus longtemps, longtemps ; je contemplai religieusement, dévotement ; les heures s'envolèrent, rapides et glorieuses, et le profond minuit arriva.

E. A. Poe,
« Le portrait ovale », 1857.

a. Quel mot indique le temps que passe le narrateur à lire ?

b. Quels mots indiquent la manière dont le narrateur contemple ?

c. Parmi les mots que vous avez relevés, lesquels sont construits sur un adjectif féminin ? Quel est leur suffixe commun ?

bilan Utilisez ce même suffixe avec les adjectifs soulignés. Quels mots obtenez-vous ?

3 a. Quel adjectif masculin est à l'origine de chaque adverbe ?

gentiment : ....   joliment : ....

éperdument : ....   aisément : ....

b. Pour chaque définition, trouvez l'adverbe qui convient : *ici • maintenant • mal • ailleurs • toujours • peu.*

1. à cet endroit : ....   **4.** d'une façon qui ne convient pas : ....

2. en petite quantité : ....   **5.** à un autre endroit : ....

3. à ce moment précis : ....   **6.** pour l'éternité : ....

Je retiens

1. Les adverbes sont des mots **invariables** : ils ne changent jamais d'orthographe.
2. Ils permettent de **modifier le sens** d'un **adjectif**, d'un **verbe**, d'un autre **adverbe** ou d'une **phrase entière**.
3. De nombreux adverbes sont formés à partir d'un **adjectif au féminin** + le suffixe *-ment*.
4. Les adverbes peuvent exprimer la **quantité**, la **manière**, le **lieu**, le **temps**, ou encore la **négation**.

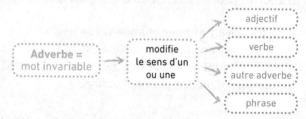

Mes exemples Écrivez un adverbe de temps (1), de lieu (2), de négation (3), de manière (4) et de quantité (5).

1. ....   **2.** ....   **3.** ....

4. ....   **5.** ....

Je m'exerce

J'identifie les adverbes

4 * **Dans les phrases suivantes, soulignez les adverbes.**

1. Il la serra tendrement dans ses bras.
2. Hier, j'ai bêtement perdu mes clefs.
3. Il a beaucoup plu depuis deux jours.
4. Ce très grave accident n'a heureusement pas fait de blessés.

5 a. ** **Soulignez le mot que l'adverbe en gras modifie.**

1. Elle a **bien** travaillé. (_____)

2. Ce buisson reste **étonnamment** vert. (_____)

3. Il se sent **vraiment** très malade. (_____)

4. La voiture est **drôlement** abimée ! (_____)

b. *** **Pour chaque mot souligné, indiquez sa classe grammaticale.**

Je forme des adverbes

6 * **Retrouvez les adverbes formés à partir des adjectifs suivants.**

Adjectif	Adverbe
paisible	
lent	
naïf	
dur	

7 ** **Quel adverbe appartient à la même famille que ces adjectifs ?**

1. nerveux : _____

2. violent : _____

3. fou : _____

4. fougueux : _____

8 * **Retrouvez l'adverbe de sens contraire.**

rapidement : _____

méchamment : _____

gaiement : _____

bruyamment : _____

9 ** **Complétez les phrases avec l'adverbe de votre choix.**

La neige tombe _____ depuis cette nuit.

Répétait-il _____ la même chose ?

Elle hésitait _____ sur le choix de son voyage.

Tu es _____ joyeuse !

J'utilise des adverbes

10 ** **Associez chaque adverbe à la notion qu'il exprime.**

1. ici •   • temps

2. complètement •   • lieu

3. maintenant •

4. loin •   • manière

11 ** **Remplacez le groupe nominal souligné par un adverbe de même sens.**

1. Il a avalé son repas <u>à toute vitesse</u>.

_____

2. Elle observe <u>avec attention</u>.

_____

3. Je l'aime <u>avec passion</u>.

_____

J'applique ce que j'ai appris pour écrire

Réécrivez cette phrase en ajoutant trois adverbes de votre choix.

Claude passait devant l'Hôtel-de-Ville, et deux heures du matin sonnaient à l'horloge, quand l'orage éclata.

É. **Zola**, *L'Œuvre*, 1886.

_____

_____

_____

_____

_____

_____

21 **Les verbes attributifs**

Connaissances et compétences visées

Dans cette leçon, je vais apprendre à :
✔ Identifier un verbe attributif
✔ Reconnaitre un attribut du sujet
✔ Réviser la conjugaison du verbe *être*

J'observe et je manipule

1 Roger était plus âgé que moi de trois ans ; il était lieutenant ; moi, j'étais enseigne. Je vous assure que c'était un des meilleurs officiers de notre corps.

D'après **P. Mérimée**, « La partie de trictrac », 1830.

a. **Donnez l'infinitif du verbe répété dans ce texte.** _____

b. **Ce verbe indique :** ◯ une action. ◯ un état.

c. **Choisissez trois verbes pour compléter cet extrait et conjuguez-les à l'imparfait :** *sembler • passer pour • rester • devenir • demeurer • avoir l'air.*

Roger _____ plus âgé que moi de trois ans ;
il _____ lieutenant ; moi, j'étais enseigne. Je vous assure
qu' _____ un des meilleurs officiers de notre corps.

bilan **Y a-t-il un seul choix possible ? Expliquez votre réponse.**

_____

_____

2 **a. Dans chaque phrase, entourez le complément après le verbe.**

1. Cette jeune fille semble pressée.

2. Ils montrent leur impatience.

3. Malgré nos conseils, tu restes opposé à cette idée.

4. Vous demeurez incrédules.

b. Réécrivez chaque phrase en utilisant le verbe « *être* ». _____

_____

bilan **Est-ce toujours possible ?** _____

_____

3 **a. Dans les phrases suivantes, soulignez le complément des verbes en gras.**

1. Les lions **semblaient** calmes et tranquilles.

2. Ils **ont l'air** bien.

3. Tout autour de lui **devenait** silencieux.

4. Booz **était** un sage.

5. La jeune fille **paraissait** fascinée. Elle l'**était**.

6. L'homme **demeurait** impassible.

b. Placez les compléments selon leur classe ou leur nature grammaticale.

Adjectif qualificatif ou participe passé employé comme adjectif	Groupe nominal	Pronom	Adverbe

bilan **Quelle est la classe grammaticale la plus représentée ?**

_____

 ## Je retiens

1. Les verbes attributifs **relient** le **sujet** et l'**attribut du sujet** qui le caractérise. Le **verbe attributif** peut être :
– un **verbe d'état** : *être, paraitre, sembler, devenir, demeurer, avoir l'air, passer pour, rester...*
– un **verbe d'action** dans certaines constructions : *arriver, partir, venir, s'éveiller, être nommé[e], être appelé[e], être considéré[e] comme...*

2. Le verbe **être** est le plus courant et peut **remplacer** tous les autres verbes attributifs.

3. L'attribut du sujet peut appartenir à différentes classes ou natures grammaticales : adjectif qualificatif, GN, pronom, infinitif, adverbe, proposition.
Lorsqu'il est adjectif, il **s'accorde en genre et en nombre** avec le **sujet**.

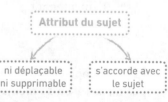

Mon exemple Rédigez une phrase avec deux verbes attributifs (sauf *être*).

_____

J'identifie les verbes attributifs ou les attributs du sujet

4 * **Entourez les verbes attributifs.**

Conseil : remplacer le verbe par le verbe « être ».

1. Ce dessert se révèle fabuleux !

2. Je suis connecté mais ma session reste inactive.

3. Tu sembles malade et tu as de la fièvre.

4. Elle devient de plus en plus pâle.

5 ** **Entourez le sujet auquel chaque attribut en gras se rapporte.**

1. Fumer est **très mauvais** pour la santé.

2. Pour que je sois **plus attentive**, il faut du silence.

3. Tes enfants se montrent **impatients**.

4. À cause de ses soucis, il est **préoccupé**.

6 *** **Les compléments soulignés sont des attributs du sujet : vrai ou faux ?**

1. Mon ami Paul est <u>médecin</u>. •

2. J'ai appelé <u>le médecin</u>. •

3. Elle semble <u>mélancolique</u>. •

4. Ce sonnet parle <u>de la mélancolie du poète</u>. •

• vrai

• faux

7 a. ** **Entourez les attributs du sujet.**

Booz était bon maître et fidèle parent ;
Il était généreux, quoiqu'il fût économe ;
Les femmes regardaient Booz plus qu'un jeune
[homme,
Car le jeune homme est beau, mais le vieillard
[est grand.

V. Hugo, *La Légende des siècles,* 1883.

b. *** **Classez les attributs dans le tableau.**

Adjectif qualificatif	Groupe nominal

Je sais faire les bons accords

8 * **ORTHO** **Accordez les attributs du sujet en ajoutant : -e / -s / -es.** *Conseil : chercher le sujet et déterminer son genre (masculin ou féminin) et son nombre (singulier ou pluriel).*

1. Ces arbres sont gigantesque.......

2. Ces yaourts semblent périmé.......

3. Ta trottinette est très abimé.......

4. Malgré le bruit, elles restent concentré.......

9 ** **ORTHO** **Complétez les phrases suivantes avec le verbe qui convient.**

sembler • se prendre pour • s'annoncer • se montrer.
Attention aux accords.

1. La nuit estivale .... douce.

2. La lune .... un croissant d'or jeté dans les étoiles.

3. L'homme .... un roi perdu dans le désert.

4. Les animaux .... paisibles.

Je révise la conjugaison du verbe « être »

10 ** **Conjuguez le verbe** *être* **aux temps de l'indicatif demandés.**

Conseil : identifier le sujet avant de conjuguer le verbe.

1. Je .... étudiant en médecine. (présent)

2. Tu .... heureux de nous revoir. (imparfait)

3. Cet agenda .... très pratique ! (futur)

4. Mon frère et moi .... jumeaux. (présent)

5. Quand ....-vous plus sages ? (futur)

6. Elles .... brillantes élèves ! (imparfait)

J'applique ce que j'ai appris pour écrire ☺

Décrivez un lieu que vous aimez en utilisant les verbes suivants : *se trouver • demeurer • paraitre • passer pour.*

....
....
....
....
....
....

22 Les verbes transitifs et intransitifs

J'observe et je manipule

1 a. Entourez les compléments de chaque verbe.

1. Elle pense à sa famille.
2. Pour ce soir, achète une tarte aux fraises.
3. Les oiseaux chantent.
4. Il écrit des poèmes.

b. Quel verbe n'est pas suivi d'un complément ? ....

bilan Classez les verbes selon que leur complément est introduit ou non par une préposition.

Verbe dont le complément n'est pas introduit par une préposition	Verbe dont le complément est introduit par une préposition

2

Sa voix montait, il répéta le mot, debout, grandi, comme si ce mot, en lui apportant une résolution, l'avait calmé. Il ne parla plus, il marcha lentement jusqu'à la table […]

É. Zola, *La Bête humaine*, 1890.

a. Classez les verbes soulignés selon qu'ils sont suivis ou non d'un complément du verbe.

Verbes sans complément	Verbes suivis d'un complément

b. Que remarquez-vous pour le verbe *apportant* ?
....

bilan Inventez une phrase dans laquelle le verbe « *parler* » sera suivi :

• d'un complément direct ....

• d'un complément introduit par une préposition ....

3 a. Soulignez les verbes suivis d'un complément.

1. Ce soda contient trop de sucre.
2. Malgré la crise, les affaires reprennent.
3. Le musée propose des ateliers pour les enfants de 7 à 12 ans.
4. La terre a encore tremblé.

b. Inventez une phrase avec les verbes *trembler* et *reprendre* où ils seront suivis d'un complément du verbe.
....
....

bilan Quel verbe avez-vous fait suivre d'une préposition ?
....

Je retiens

1. Un verbe **suivi d'un complément direct** (encore nommé COD) est **transitif direct**.

2. Un verbe **suivi d'un complément indirect** (encore nommé COI) est **transitif indirect**.

3. Un verbe qui ne peut être suivi d'**aucun complément** est **intransitif**.

4. Un même verbe peut être tantôt transitif (direct ou indirect), tantôt intransitif. Il a alors différents sens selon sa construction.

> verbe + COD = **verbe transitif direct**

> verbe + COI = **verbe transitif indirect**

> verbe sans C = **verbe intransitif**

Mon exemple Écrivez votre exemple sur le modèle de *Je raconte mon voyage à mes amis.*

....

Je m'exerce

J'identifie les verbes transitifs et intransitifs

4 * **Le verbe souligné possède-t-il 0, 1 ou 2 complément(s) du verbe ?**

1. J'ai inscrit mes filles à la danse. •

2. Depuis qu'il a changé de matelas, il dort mieux. •

3. Nous avons appris nos leçons pour le cours de français. •

• 0

• 1

• 2

5 ** **Le verbe souligné est employé de manière transitive : vrai ou faux ?**

1. Personne ne parla plus. •

2. Tu me l'as promis. •

3. La serveuse les apporte. •

• vrai

• faux

Je distingue les verbes transitifs directs et indirects

6 * **Soulignez les verbes que les GN et les pronoms en gras complètent.**

N'écris pas **ces doux mots** que je n'ose plus lire :
Il semble que ta voix **les** répand sur mon cœur ;
Que je **les** vois brûler à travers ton sourire ;
Il semble qu'un baiser **les** empreint sur mon
[cœur.
N'écris pas !

M. Desbordes-Valmore,
« Les séparés », *Poésies*, 1830.

7 * **Pour chaque verbe en gras, indiquez s'il est transitif direct (D) ou indirect (I).**

1. Je **crois** à ta version des faits.

2. Il **croit** cette histoire invraisemblable !

3. Elle **cherche** un emploi stable.

4. Vous **cherchez** à comprendre.

5. As-tu **réussi** à le voir ?

6. As-tu **réussi** ton examen ?

J'emploie des verbes transitifs directs

8 ** **Complétez chaque phrase afin que le verbe soit employé de manière transitive directe.**

1. Ce candidat passera

2. Je présente

3. Pendant le carnaval, il pleut

4. Il attrapa

5. Écouteras-tu   ?

9 ** **Pour chaque verbe, proposez un groupe synonyme contenant un verbe transitif direct.**

Exemple : crier → pousser un cri

sourire • emprunter • informer • photographier.

J'emploie des verbes transitifs indirects

10 ** **Écrivez une phrase avec chaque verbe dans laquelle il sera transitif indirect.**

toucher • tenir • se dévouer • parler • penser • se moquer.

J'applique ce que j'ai appris pour écrire ⊙⊙

Utilisez le verbe *écrire* en construction transitive directe (1), en construction transitive indirecte (2) puis en double construction (3).

1.

2.

3.

La voix active et la voix passive – Le complément d'agent

Connaissances et compétences visées

Dans cette leçon, je vais apprendre à :
- ✔ Identifier un complément d'agent
- ✔ Reconnaitre une phrase à la voix passive
- ✔ Employer la voix passive

J'observe et je manipule

1

La porte de la maison était bloquée par un bourrelet de neige. Il brisa cette croûte à coups de pied et poussa le battant.

H. Troyat, *La Neige en deuil*, Flammarion, 1952.

a. Quel est le sujet de la première phrase ?

....

....

....

b. Qu'est-ce qui « bloque la porte » ?

....

....

bilan À l'aide du texte, choisissez la phrase au temps qui convient.
- ◯ Un bourrelet de neige bloque la porte de la maison.
- ◯ Un bourrelet de neige bloquait la porte de la maison.
- ◯ Un bourrelet de neige avait bloqué la porte de la maison.

2 Inventez un complément introduit par la préposition « *par* » pour compléter chaque phrase.

1. La nouvelle collection printemps-été sera présentée aux clients ....

2. Les copies ont été corrigées en une semaine ....

3. Tous les repas sont préparés avec des produits frais ....

bilan Quel est le rôle des compléments que vous avez ajoutés ?
- ◯ Indiquer une circonstance.
- ◯ Indiquer qui fait l'action.

3

Le nouveau vaccin contre la grippe a été mis au point par <u>des chercheurs</u>. Dès le mois d'octobre, un courrier sera envoyé par la sécurité sociale à tous les bénéficiaires pour se faire vacciner.

a. Qui a mis au point le vaccin ?
- ◯ les chercheurs
- ◯ la sécurité sociale
- ◯ les bénéficiaires

b. Réécrivez la première phrase en utilisant l'élément souligné comme sujet.

....

....

bilan Dans la deuxième phrase,
– Qui envoie le courrier ? Soulignez cette réponse en bleu.
– Qui reçoit le courrier ? Soulignez cette réponse en vert.

Je retiens

1. Seuls les **verbes transitifs directs** peuvent être mis à la **voix passive**.

2. Pour savoir si un verbe est à la voix passive ou active, il faut se demander : qui fait l'action ?
À la **voix active**, le sujet grammatical accomplit l'action exprimée par le verbe.
À la **voix passive**, le sujet grammatical subit l'action. C'est le **complément d'agent** qui accomplit l'action exprimée par le verbe. Il est introduit par une préposition : **de** ou **par**.

| Voix active | Sujet | verbe transitif direct | complément direct |
| Voix passive | Sujet | verbe à la voix passive (auxiliaire *être* + participe passé) | complément d'agent |

Mon exemple Rédigez une phrase à la voix passive. Soulignez le complément d'agent.

....

Je m'exerce

J'identifie les compléments d'agent

4 * **L'élément souligné est un complément d'agent : vrai ou faux ?**

1. Je t'enverrai ce colis <u>par la poste</u>. ....

2. Ils ont repris deux fois <u>de la tarte aux fraises</u>. ....

3. Ne te laisse pas aborder <u>par des inconnus</u>. ....

4. Elle me demande <u>de tes nouvelles</u>. ....

5 ** **Indiquez la fonction grammaticale de chaque élément souligné.**

1. Le musée ouvre <u>ses portes</u> tous les jours. •

2. <u>Les portes</u> seront ouvertes à 10 heures. •

3. La décision a été prise à l'unanimité <u>par le conseil régional</u>. •

• sujet

• complément direct

• complément d'agent

Je distingue la voix active de la voix passive

6 * **Les phrases suivantes sont à la voix active : vrai ou faux ?**

1. J'ai égaré mon sac par mégarde. ....

2. Mon sac a été retrouvé par un voyageur. ....

3. Qui vient à ton anniversaire ? ....

4. Qui a été invité à ton anniversaire ? ....

7 ** **Réécrivez chaque phrase afin qu'elle soit à la voix active. Proposez un sujet si besoin.**

1. Les repas ont été servis.

....

2. Les illustrations seront réalisées par les élèves.

....

3. Tous les acteurs avaient été dirigés par le metteur en scène.

....

8 a. * **Entourez la préposition qui introduit les deux groupes soulignés.**

Le navire, arraché aux vagues, avait été en quelque sorte déraciné de l'eau <u>par l'ouragan</u>. Le tourbillon de vent l'avait tordu, le tourbillon de mer l'avait retenu, et le bâtiment, ainsi pris en sens inverse <u>par les deux mains de la tempête</u>, s'était cassé comme une latte.

V. Hugo, *Les Travailleurs de la mer*, 1866.

b. ** **Quel est le verbe de la phrase en italique ?**

....

c. ** **À quelle voix est la phrase en italique ?**

....

d. *** **Complétez les phrases à l'aide du texte.**

Le navire .... par le tourbillon de vent.

Le navire .... par le tourbillon de mer.

Je maitrise la conjugaison de l'auxiliaire être

9 ** **ORTHO** **Complétez chaque phrase à la voix passive en conjugant l'auxiliaire.** Pensez à regarder le temps du verbe à la voix active.

1. L'enseignant organise une sortie scolaire.
→ Une sortie scolaire .... organisée par l'enseignant.

2. Les chefs d'État ratifieront ce traité.
→ Ce traité .... ratifié par les chefs d'État.

3. Notre fournisseur avait commandé les matériaux.
→ Les matériaux .... commandés par notre fournisseur.

4. Mon cousin nous a invités à son mariage.
→ Nous .... invités au mariage de mon cousin.

J'applique ce que j'ai appris pour écrire ☺

Rédigez un court article de journal pour informer sur un évènement près de chez vous. Vous emploierez des verbes à la voix passive.

....

....

....

....

....

....

....

....

J'observe et je manipule

1 16 mai. – Je suis malade, décidément ! Je me portais si bien le mois dernier !

G. de Maupassant, *Le Horla*, 1887

a. Entourez les pronoms personnels de la première personne.

b. Combien de formes différentes avez-vous identifiées ?
○ une   ○ deux   ○ trois

c. Réécrivez le texte à la deuxième personne du singulier puis à la deuxième personne du pluriel.

bilan Que remarquez-vous ?

2 a. Complétez chaque phrase avec le pronom complément qui convient (à l'aide de l'indice).

1. Je _____ demande qui viendra ce soir. (à moi-même)

2. Tu _____ maquilleras pour le spectacle. (toi-même)

3. Elle _____ souvient de son grand-père. (elle-même)

4. Ils _____ sont embrassés sur le quai de la gare. (entre-eux)

5. Nous _____ plions au règlement. (nous-mêmes)

6. Vous _____ présenterez à l'accueil. (vous-mêmes)

b. Donnez l'infinitif de chaque verbe. Que remarquez-vous ?

bilan Établissez la liste des pronoms réfléchis.

	singulier	pluriel
1re personne		
2e personne		
3e personne		

3 a. Complétez chaque phrase avec un verbe à la forme pronominale qui convient.

1. Tu _____ devant la glace ! **2.** _____ les mains avant de passer à table.

3. Les enfants qui _____ ont été punis. **4.** Le dessert _____ chaud.

bilan Dans quelles phrases le pronom complément se trouve-t-il après le verbe ?

Je retiens

Un verbe à la forme pronominale se construit avec un **pronom réfléchi**.

1. Le sujet d'un verbe à la forme pronominale fait, le plus souvent, une action qui renvoie à lui-même.

2. Beaucoup de verbes peuvent se mettre à la forme pronominale. Ils changent alors de sens :
- **sens réfléchi** (quand le pronom **renvoie au sujet**)
- **sens réciproque** (quand l'action concerne **plusieurs personnes**)
- **sens passif** (quand l'action est réalisée **par un complément d'agent** exprimé ou non).

Les verbes pronominaux

Sens réfléchi	Sens réciproque	Sens passif
la même personne	le pronom renvoie à plusieurs personnes	complément d'agent exprimé ou implicite

Mon exemple Rédigez une phrase contenant un verbe à la forme pronominale.

Je m'exerce

J'identifie les formes pronominales

4 **a. *** Entourez les pronoms personnels compléments dans cet extrait.

Moi, je me débats, lié par cette impuissance atroce, qui nous paralyse dans les songes […]

G. de Maupassant, *Le Horla*, 1887.

b. ** Lequel des deux verbes est à la forme pronominale ? Justifiez votre réponse.

....

....

....

5 * Cochez la case si le verbe est à la forme pronominale.

1. Elle se lève tous les jours à 7 h 00.   ❐

2. Elle lève les bras pour attraper un livre.   ❐

3. Il demande son chemin.   ❐

4. Il se demande où il est.   ❐

6 ** Classez les verbes surlignés dans le tableau ci-dessous.

Jadis, si je me souviens bien, ma vie était un festin où s'ouvraient tous les cœurs, où tous les vins coulaient.
Un soir, j'ai assis la Beauté sur mes genoux. – Et je l'ai trouvée amère. – Et je l'ai injuriée.
Je me suis armé contre la justice.
Je me suis enfui. Ô sorcières, ô misère, ô haine, c'est à vous que mon trésor a été confié !

A. Rimbaud, *Une saison en enfer*, 1873.

Verbe à la forme pronominale	Verbe qui n'est pas à la forme pronominale

Je distingue les différents emplois de la forme pronominale

7 ** À l'aide de flèches, indiquez pour chaque phrase quel est le sens du verbe.

1. Ce vêtement se lave à 40 °C. •

2. Je me douche avant d'aller au lit. •

3. Où s'achète ce livre ? •

4. Elles se revoient avec plaisir. •

5. Paul et Pierre se baignent tous les étés. •

• sens réfléchi

• sens réciproque

• sens passif

8 ** Employez le verbe *se laver* dans trois phrases où il sera de sens réfléchi (1re phrase), de sens réciproque (2e phrase), de sens passif (3e phrase).

1. ....

2. ....

3. ....

Je m'entraine à la réécriture

9 ** **ORTHO** Réécrivez cet extrait en remplaçant *Je* par *Il*.

Faites les modifications nécessaires.

12 mai. – J'ai un peu de fièvre depuis quelques jours ; je me sens souffrant, ou plutôt je me sens triste.

G. de Maupassant, *Le Horla*, 1887.

....

....

....

J'applique ce que j'ai appris pour écrire ☺

À la manière d'A. Rimbaud (exercice 6), écrivez un court texte qui commencera par *« Jadis, si je me souviens bien »*, et dans lequel vous emploierez plusieurs verbes à la forme pronominale.

....

....

....

....

....

Avez-vous bien compris les leçons sur
les verbes et leurs compléments ?
Vérifiez-le en lisant cet extrait et en répondant
aux questions d'un groupe.

La mère Sauvage

Je retournai chasser, à l'automne, chez mon
ami Serval, qui avait enfin fait reconstruire son
château, détruit par les Prussiens. [...] Le fils, que
j'avais vu autrefois, était un grand garçon sec qui
5 passait également pour un féroce destructeur de
gibier. On les appelait les Sauvage. [...]

*[Serval raconte au narrateur les évènements expli-
quant la destruction de son château.]*

Lorsque la guerre fut déclarée, le fils Sau-
10 vage, qui avait alors trente-trois ans, s'engagea,
laissant la mère seule au logis. On ne la plaignait
pas trop, la vieille, parce qu'elle avait de l'argent,
on le savait. Elle resta donc toute seule dans cette
maison isolée. [...] La mère Sauvage continua
15 son existence ordinaire dans sa chaumière, qui
fut bientôt recouverte par les neiges. [...]

Or, un matin, comme la vieille était seule
au logis, elle aperçut au loin dans la plaine un
homme qui venait vers sa demeure. Bientôt, elle
20 le reconnut, c'était le piéton chargé de distribuer
les lettres. Il lui remit un papier plié et elle tira
de son étui les lunettes dont elle se servait pour
coudre ; puis elle lut :

« Madame Sauvage, la présente est pour
25 vous porter une triste nouvelle. Votre garçon
Victor a été tué par un boulet. »

G. de Maupassant, « La mère Sauvage », 1884.

Groupe 1

Je repère

1. a. Entourez le verbe de cette phrase.
« Le fils [...] était un grand garçon »
b. Il s'agit d'un ○ verbe d'état.   ○ verbe d'action.
c. Le complément souligné est :
○ un complément direct.   ○ un attribut du sujet.
**2. Qui a détruit le château ? Soulignez le
complément d'agent qui vous permet de répondre.**

Je manipule

3. a. Quelle est la fonction du mot souligné ?
« on le savait. »
○ complément direct   ○ complément indirect
b. Par quoi peut-on remplacer le pronom « le » ?

**4. Réécrivez cette phrase en utilisant un autre
verbe d'état.** « Elle resta [...] isolée. »

5. Mettez la dernière phrase du texte à la voix active.

J'écris

**6. En vous aidant du texte, décrivez en trois
lignes la vie quotidienne de la mère Sauvage.
Vous utiliserez les verbes suivants à l'imparfait :
rester • paraitre • sembler.**

Groupe 1, 2 ou 3 : *je rédige en respectant la consigne 6*

Groupe 2

Je repère

1. a. Entourez le verbe de cette phrase.

« Elle resta donc toute seule dans cette maison isolée. »

b. Il s'agit d'un ○ verbe d'action.   ○ verbe d'état.

c. Soulignez le complément de ce verbe et dites s'il s'agit d'un :

○ complément direct.   ○ attribut du sujet.

2. a. Comment le fils est-il mort ?

b. La phrase qui contient cette information est rédigée :

○ à la voix active.   ○ à la voix passive.

Je manipule

3. a. Quelle est la fonction du mot souligné ?

« Elle **le** reconnut »

○ complément direct   ○ complément indirect

b. Par quoi peut-on remplacer le pronom « le » ?

4. Réécrivez cette proposition en utilisant un autre verbe d'état. « comme la vieille était seule au logis »

5. Mettez la dernière phrase du texte à la voix active.

J'écris

6. En vous aidant du texte, décrivez en trois lignes la vie quotidienne du fils de la mère Sauvage avant qu'il ne s'engage dans l'armée. Utilisez les verbes : *devenir • paraitre • sembler • avoir l'air.* **Respectez les temps d'un récit au passé.**

Groupe 3

Je repère

1. a. Entourez la forme verbale de cette proposition.

« un grand garçon sec qui passait également pour un féroce destructeur de gibier. »

b. Il s'agit d'un verbe ○ transitif.   ○ attributif.

c. Soulignez le complément de ce verbe. Comment nomme-t-on ce complément ?

2. À quelle voix la phrase est-elle rédigée ?

« On les appelait les Sauvage. »

○ à la voix active   ○ à la voix passive

Je manipule

3. Réécrivez cette proposition en remplaçant le pronom « lui » par un GN. « Il lui remit un papier »

4. Réécrivez la proposition en remplaçant le complément direct par un pronom.

« elle tira de son étui les lunettes dont elle se servait pour coudre »

5. a. À quelle voix cette proposition est-elle rédigée ?

« Lorsque la guerre fut déclarée »

○ à la voix active   ○ à la voix passive

b. Réécrivez-la en changeant de voix.

J'écris

6. Insérez au texte (l. 10) trois phrases où vous décrirez le fils de la mère Sauvage le jour de son engagement dans l'armée. Respectez les temps choisis par l'auteur.

Compétences évaluées ☺☺☹	
J'évalue mes acquis en complétant chaque smiley.	
1. J'ai identifié un verbe d'action et un verbe d'état.	☺
2. J'ai été capable de remplacer un verbe d'état.	☺
3. J'ai repéré un complément direct du verbe.	☺
4. J'ai su employer la voix passive.	☺

• Dans cette double page, vous allez **réviser** ce que vous avez déjà appris pour vous **préparer** aux leçons qui vont suivre.

• **Lorsque vous en avez besoin**, vous pouvez consulter la *Boite à outils* et cocher au fur et à mesure les outils que vous avez utilisés.

Chapitre 1

Jeanne, ayant fini ses malles, s'approcha de la fenêtre, mais la pluie ne cessait pas.

L'averse, toute la nuit, avait sonné contre les carreaux et les toits. Le ciel bas et chargé d'eau semblait crevé, se vidant sur la
5 terre, la délayant en bouillie, la fondant comme du sucre. Des rafales passaient pleines d'une chaleur lourde. Le ronflement des ruisseaux débordés emplissait les rues désertes où les maisons, comme des éponges, buvaient l'humidité qui pénétrait au dedans et faisait suer les murs de la cave au grenier.

10 Jeanne, sortie la veille du couvent, libre enfin pour toujours, prête à saisir tous les bonheurs de la vie dont elle rêvait depuis si longtemps, **craignait** que son père hésitât à partir si le temps ne s'éclaircissait pas ; et pour la centième fois depuis le matin elle interrogeait l'horizon.

G. de Maupassant, *Une Vie*, 1883.

Ce que je peux savoir avant de lire l'extrait

a. Cet extrait se situe :
○ au début du roman.
○ au milieu du roman.
○ à la fin du roman.

Boite à outils **1**

b. De combien de paragraphes se compose l'extrait ?

....

....

....

Boite à outils **2**

Je vérifie ma compréhension de l'extrait

c. Dans quel paragraphe retrouvez-vous :

– L'expression des sentiments de Jeanne

....

– la description de sa situation

....

– la description de l'averse

....

I   Je sais retrouver le sujet d'un verbe

a. Quel est le sujet de s'approcha ?

....

....

b. Quel est le sujet du verbe avait sonné ?
○ la nuit
○ l'averse
○ Jeanne

c. Quel est le sujet de *buvaient* (l. 8) ?
○ les rues désertes
○ les maisons
○ les éponges

d. Retrouvez dans le 3e paragraphe le sujet du verbe en gras.

....

Que remarquez-vous ?

....

e. Quel nom le pronom personnel sujet *elle* (l. 13) reprend-il ?

....

....

Boite à outils **3**

2   *Je sais comment se conjugue un verbe*

a. Lisez la phrase suivante.

« Des rafales passaient pleines d'une chaleur lourde. »

• Le sujet de cette phrase est :   ○ au singulier   ○ au pluriel

• Le verbe de cette phrase est :   ○ au singulier   ○ au pluriel

b. Réécrivez cette phrase au singulier.

....

c. Entourez la terminaison de chaque verbe.

         passaient   *emplissait*   *buvaient*

À quel temps de l'indicatif correspondent ces terminaisons ?

....

d. Expliquez avec vos propres mots comment se conjugue un verbe.

....

Boite à outils **4** ▷

3   *Je sais reconnaitre un participe passé*

a. Comment se nomme l'élément « sonné » ?   ○ un infinitif   ○ un participe passé

b. Retrouvez dans le texte les participes passés des verbes suivants :

Infinitif	sortir	charger	finir
Participe passé			

c. Retrouvez dans le texte un exemple pour chaque construction.

auxiliaire *avoir* + participe passé : ....

nom commun + participe passé : ....

verbe conjugué + participe passé : ....

Boite à outils **5** ▷

━━━▶ *Boite à outils* ◀━━━

○ Dans un texte, il y a toujours des indices pour vous aider à répondre. Ici, le numéro du chapitre et les informations du paratexte (le nom de l'auteur, le titre de l'œuvre, sa date) donnent des éléments de réponse.

○ Un paragraphe commence par un alinéa (la première ligne est en retrait de la marge).

○ ▸**3** Il faut bien lire toute la phrase et en comprendre le sens pour trouver le sujet. Le sujet n'est pas toujours placé immédiatement avant le verbe.

○ ▸**4** Le sujet commande l'accord du verbe. La terminaison verbale indique la personne et le nombre.

○ ▸**5** Le participe passé peut s'employer dans un temps composé mais aussi comme un adjectif.

Les particularités des verbes du 3e groupe

J'observe et je manipule

1 Les hommes viennent l'un après l'autre, calmement, s'accroupissent au pied de la table de l'écrivain, ils suivent le geste de la main qui écrit ligne après ligne jusqu'au dernier mot.

L. Sebbar, *Écrivain public*,
Éditions Bleu autour, 2012.

a. Entourez les verbes du texte. Donnez leur infinitif.

....

....

....

b. À quel temps sont-ils conjugués ?

○ Présent de l'indicatif   ○ Passé simple de l'indicatif

bilan Réécrivez ce texte en conjuguant les verbes au passé simple.

....

....

....

2 a. Associez chaque verbe à la terminaison du passé simple qui convient.

| -us | -is | -int | -it | -ut | -ins |

tu voul........   j'écriv........   il rend........   on l........

elle parv........   tu te souv........   elle rem........   je v........

b. À quel groupe appartiennent tous ces verbes ?   ○ 1er groupe   ○ 2e groupe   ○ 3e groupe

bilan Que pouvez-vous en conclure sur la forme du passé simple pour les verbes de ce groupe ?

....

....

3 a. Cherchez le maximum de verbes construits à partir du verbe *tenir*.

....

b. Conjuguez deux verbes parmi ceux que vous avez trouvés au présent de l'indicatif.

....

....

bilan Que pouvez-vous en conclure sur la conjugaison des verbes construits sur le même radical ?

....

....

Je retiens

1. Au **présent de l'indicatif**, les terminaisons des verbes du 3e groupe sont : -s/-x, -s/-x, Ø[1]/-t, -ons, -ez, -ent.

2. Les verbes en -**dre** et en -**tre** se conjuguent sur le modèle de *rendre* et de *mettre*. Le radical comporte un -**d** ou un -**t**.

3. Au **passé simple**, les verbes du 3e groupe se répartissent selon **trois modèles** de terminaisons : -i-, -u-, -in- (*tenir*, *venir* et leurs composés).

1. Ø : ce symbole signifie qu'aucune terminaison ne s'ajoute au radical.

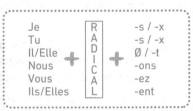

Je		-s / -x
Tu	R	-s / -x
Il/Elle	A D I C A L	Ø / -t
Nous		-ons
Vous		-ez
Ils/Elles		-ent

Mon exemple Écrivez une phrase contenant un verbe du troisième groupe. Précisez le temps que vous avez utilisé.

....

J'identifie le temps des verbes du 3e groupe

4 * Identifiez le temps de chaque verbe en gras. **Attention**, une forme verbale peut appartenir à deux temps !

1. Le médecin les **fit** attendre. ....

2. Il **dit** la vérité. ....

....

3. L'enfant **reprit** du dessert. ....

4. Je **vois** clair dans son jeu. ....

5. Tu **lis** toutes les consignes. ....

6. Elle **vit** les traces de pas. ....

5 ** Associez chaque forme verbale à l'analyse qui lui convient.

rendit •   • indicatif, passé simple, 3e pers. plur.

peux •   • indicatif, passé simple, 3e pers. sing.

mit •   • indicatif, présent, 1re et 2e pers. sing.

devins •   • indicatif, passé simple,

lurent •   1re et 2e pers. sing.

6 * Notez si le verbe est conjugué à l'indicatif présent (IP) ou à l'indicatif imparfait (II).

Nous : cousions .... • fuyons .... • croyons ....

Vous : conduisiez .... • craignez .... • couriez ....

Je conjugue des verbes du 3e groupe

7 * Complétez chaque forme verbale par la terminaison qui convient : -x, -s, -t.

Conseil : Cherchez le sujet du verbe pour détermi-ner la terminaison du verbe.

1. Elle ne veu........ pas revenir.

2. Tu essaie........ de comprendre ce qu'il di........ .

3. Ne rend........ pas les choses plus difficiles.

4. Je n'en croi........ pas un traitre mot.

5. Je ne peu........ t'en dire davantage.

6. Il nous ren........ fiers !

8 * Écrivez chaque verbe à l'indicatif présent : contredire • obtenir • démentir • avertir • se taire • entendre.

Tu .... • Tu .... • Tu ....
Tu .... • Tu .... • Tu ....

9 * Écrivez chaque verbe à l'indicatif futur : tenir • faire • prendre • courir • aller • s'assoir.

Je .... • Je .... • Je ....
Je .... • J' .... • Je ....

Je m'entraine à la réécriture   **BREVET**

10 * **a.** Dans le texte, entourez les verbes conjugués au passé simple.

Je me rétablis lentement, avec de fréquentes rechutes […] Je sentis alors renaître en moi des sentiments de joie et d'affection, ma tristesse disparut et bientôt je redevins aussi gai que je l'étais avant.

M. Shelley, *Frankenstein*, 1818.

b. Donnez l'infinitif de chaque verbe.

....

c. ** Réécrivez cet extrait en remplaçant *Je* par *Il* et en conjuguant les verbes au présent de l'indicatif. Faites les modifications nécessaires.

J'applique ce que j'ai appris pour écrire ☺

Imaginez la suite de cet extrait. Attention à bien respecter le même temps du récit que l'extrait.

Bientôt, j'entendis un bruit de pas dans le couloir ; la porte s'ouvrit et le misérable apparut.

M. Shelley, *Frankenstein*, 1818.

26 Les accords complexes sujet-verbe

J'observe et je manipule

1
Sous le pont Mirabeau **coule** la Seine
   Et nos amours
Faut-il qu'il m'en souvienne
La joie venait toujours après la peine
   Vienne la nuit sonne l'heure
Les jours s'en vont je demeure
Les mains dans les mains restons face à face
   Tandis que sous
Le pont de nos bras passe
Des éternels regards l'onde si lasse […]

          G. Apollinaire,
« Sous le pont Mirabeau », *Alcools*, 1913.

a. Quel est le sujet du verbe en gras ?
◯ le pont Mirabeau   ◯ la Seine

b. Associez chaque verbe à son sujet.

faut •   • l'onde si lasse
vienne •   • il
sonne •   • l'heure
passe •   • la nuit

bilan **Quelle remarque pouvez-vous faire sur la place de ces sujets par rapport aux verbes ?**

....

2 **a. Dans les phrases suivantes, soulignez le sujet des verbes en gras.**

1. Le parc d'attractions qui **vient** d'ouvrir a l'air fantastique !

2. Une fois par mois **se réunissent** professeurs et formateurs.

3. Les films dont tu parles **viennent** de sortir.

b. Associez ensuite chaque phrase au schéma correspondant :

1. | verbe – sujet | **2.** | antécédent – pronom relatif – verbe | **3.** | sujet – verbe |

Phrase 1. ....   **Phrase 2.** ....   **Phrase 3.** ....

bilan **Quel schéma pouvez-vous proposer pour la phrase suivante ?**

Dans le vase se fanent lentement les fleurs.   [   ] — [   ]

3 **Associez le sujet de chaque phrase au pronom personnel qui lui correspond.**

Demain, ma sœur et moi partons en vacances. •   • Elles
Julie et toi travaillez pour réussir vos examens. •   • Nous
Toutes les élèves reviennent du stade. •   • Vous

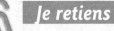

Je retiens

1. Le verbe, placé le plus souvent après le sujet, s'accorde avec lui en nombre et en personne.
Le sujet est dit **inversé** lorsqu'il est placé après le verbe, comme dans les phrases interrogatives.

2. Quand le sujet est un **pronom relatif**, il faut trouver son antécédent.

3. Le sujet peut être séparé du verbe par des pronoms personnels compléments.

4. Quand le sujet comporte plusieurs personnes différentes, la **1re personne l'emporte sur la 2e**, **la 2e sur la 3e**.

| Sujet inversé | ≡ | verbe — sujet |
| Sujet séparé du verbe | ≡ | sujet — pronom complément — verbe |

Mes exemples Écrivez une phrase (1). Soulignez le sujet et encadrez le verbe.
Réécrivez votre phrase sous forme de question avec inversion du sujet (2).

1. ....

2. ....

Je m'exerce

Je sélectionne le bon sujet

4 * Complétez chaque phrase par un pronom personnel sujet.
Plusieurs réponses sont parfois possibles.

1. .... écris à ses grands-parents pendant les vacances.

2. .... appelle quand ce sera prêt.

3. .... n'acceptes pas l'échec.

5 ** Proposez pour chaque phrase un groupe nominal sujet qui convienne.

1. .... prenons le train pour Granville.

2. Au loin dans la savane se pavanent ....
....

3. .... êtes invitées à mon anniversaire.

Je repère le sujet d'un verbe

6 a. * Quel est le sujet du verbe en gras ?

◯ le vase   ◯ cette verveine

Le vase où **meurt** cette verveine[1]
D'un coup d'éventail <u>fut fêlé</u> ;
Le coup dut l'effleurer à peine,
Aucun bruit ne l'a révélé.

           R.-F. Sully Prudhomme,
« Le vase brisé », *Stances et poèmes,* 1865.
1. fleur aromatique.

b. * Réécrivez le premier vers en mettant le sujet avant le verbe.

....
....

c. ** Quelle version préférez-vous ? Pourquoi ?

....
....
....

d. ** Quel est le sujet du verbe souligné ?

....
....
....

7 a. * Dans chaque phrase, encadrez le sujet.
1. Elle leur propose de sortir.
2. Il nous trouve sympathiques.
3. Je lui demande de l'aide.

b. ** Quelle est la fonction du mot placé entre le sujet et son verbe ? ....
....
....

8 ** Proposez un GN qui convienne comme antécédent de chaque pronom relatif.
1. .... qui entre en gare est à l'heure.
2. .... qui se prépare sera fastueuse !
3. .... qui jouent sont bruyants !

9 ** Transformez les phrases de l'exercice 8 en phrases interrogatives.
1. ....
2. ....
3. ....

Je m'entraine à la dictée   **BREVET**

10 ** Écrivez la dictée lue par votre enseignant-e. Relisez-vous. Entourez chaque sujet et vérifiez l'accord sujet-verbe.

....
....
....
....
....
....
....

J'applique ce que j'ai appris pour écrire ☺

Inventez un court poème décrivant la saison de votre choix. Vous emploierez au moins deux sujets inversés. Vous travaillerez sur votre cahier de brouillon.

....
....
....
....
....
....

Les temps composés de l'indicatif

Connaissances et compétences visées

Dans cette leçon, je vais apprendre à :
✔ Identifier un temps composé
✔ Construire un temps composé

J'observe et je manipule

1 Mon cœur battait comme un fou ; je me sentais confus et joyeux, en proie à un trouble comme je n'en avais jamais encore éprouvé.

I. Tourgueniev, *Premier amour*, 1860, chap. II.

a. À quel temps sont conjugués les verbes en jaune ?

....

b. Relevez dans le texte une autre forme verbale conjuguée au même temps.

....

bilan À quel temps est conjugué le verbe *éprouver* ? ○ imparfait   ○ passé composé   ○ plus-que-parfait

2 a. Pour chaque phrase, indiquez le nombre d'éléments dont est composé le verbe.

1. Aujourd'hui, je pars en vacances. •
2. J'ai préparé mes valises. •
3. J'avais acheté mon billet de train le mois dernier. •
4. Je reviendrai dans huit jours. •

• 1 élément
• 2 éléments

b. Sur cet axe chronologique, placez le numéro des phrases.

passé ———————————————————————————— futur

bilan Quelle remarque pouvez-vous faire sur la construction des verbes exprimant les deux actions les plus éloignées dans le temps ? ....

....

3 Complétez le tableau en identifiant le temps de l'auxiliaire afin de comprendre la correspondance entre temps simple et temps composé.

Temps simples de l'indicatif	Temps composés de l'indicatif	
Présent : J'achète	**Passé composé :** J'ai acheté	*auxiliaire conjugué au :* ....
Passé simple : Il gagna	**Passé antérieur :**	*auxiliaire conjugué au :* passé simple
Imparfait : Nous	**Plus-que-parfait :** Nous avions aimé	*auxiliaire conjugué à l' :* ....
Futur simple : Elles reviendront	**Futur antérieur :** Elles .... revenues	*auxiliaire conjugué au :* ....

Je retiens

1. Un **temps simple** est composé d'**un seul élément verbal**. *Ex. :* J'aime.
   Un **temps composé** est composé de **deux éléments verbaux** dont un auxiliaire (*être* ou *avoir*). *Ex. :* J'aurais aimé.

2. Un **temps composé** exprime l'**antériorité** par rapport au temps simple correspondant.

3. Pour construire un temps composé, on conjugue **l'auxiliaire au temps simple correspondant** et on ajoute **le participe passé du verbe**.

Temps composé
=
Auxiliaire à un temps simple
+
Participe passé du verbe choisi

Mes exemples Écrivez une phrase au présent (1) puis au passé composé (2).

1. ....

2. ....

Je m'exerce

J'identifie les verbes conjugués à un temps composé

4 * **Nommez chaque élément de la forme verbale.**

Le réalisateur avait modifié l'intrigue.

....

Quel passage n'a-t-il pas mis en image ?

5 * **Quel auxiliaire utiliserez-vous pour chaque verbe ?**

1. partir ....

2. donner ....

3. offrir ....

4. arriver ....

6 * **Indiquez le participe passé de chaque verbe.**

1. devoir ....

2. dire ....

3. faire ....

4. mettre ....

7 a. * **Soulignez les verbes conjugués à un temps composé.**

Au bout de quelques instants l'enfant avait disparu.
Le soleil s'était couché.
L'ombre se faisait autour de Jean Valjean. Il n'avait pas mangé de la journée ; il est probable qu'il avait de la fièvre […]

V. Hugo, *Les Misérables*, 1862.

b. ** **À quel temps sont-ils conjugués ?**

....

c. ** **Comment construit-on ce temps ?**

....

8 a. ** **Associez chaque forme simple à sa forme composée.**

il perd •   • il aura perdu (............)

il perdit •   • il a perdu (............)

il perdra •   • il avait perdu (............)

il perdait •   • il eut perdu (............)

b. ** **Nommez entre parenthèses chaque temps composé.**

J'utilise les temps composés

9 ** **Conjuguez le verbe au temps composé.**

1. Le loup dévore l'agneau car celui-ci .... dans la rivière. *(boire)*

2. La belette ne pouvait plus sortir du grenier parce qu'elle .... *(grossir)*

3. Quand il .... le fromage, le renard quittera le corbeau. *(attraper)*

4. La cigale cria famine après qu'elle .... tout l'été. *(chanter)*

10 *** **Complétez chaque phrase en respectant le temps indiqué entre parenthèses.**

1. Pour son anniversaire, elle .... *(préparer, plus-que-parfait)* une fête exceptionnelle.

2. Quand ils ...., *(saluer, passé antérieur)* ils partirent.

3. Sais-tu qui .... *(téléphoner, passé composé)* ?

4. Il s'en .... *(falloir, futur antérieur)* de peu qu'ils se perdent !

Je m'entraine à la réécriture   **BREVET**

11 a. * **À quel temps sont conjugués les verbes ?**

....

On entre, on sort, on parle, on se promène, on cherche quelque chose et l'on ne trouve rien, tout est en rumeur.

H. de Balzac, *Illusions perdues*, 1843.

b. ** **Réécrivez au temps composé correspondant.**

....
....

tout était en rumeur.

J'applique ce que j'ai appris pour écrire ☺

Racontez la dernière sortie que vous avez faite (cinéma, musée, parc...). Utilisez des verbes conjugués à des temps composés.

....
....
....
....
....
....

28 Les accords du participe passé

Connaissances et compétences visées

Dans cette leçon, je vais apprendre à :
✔ Identifier un participe passé
✔ Accorder le participe passé

J'observe et je manipule

1

C'était une étroite cuve naturelle creusée par l'eau dans un sol glaiseux, profonde d'environ deux pieds, entourée de mousse et de ces grandes herbes **gaufrées** […], et pavée de quelques grosses pierres.

V. Hugo,
Les Misérables, 1862.

a. **Quel est la fonction du mot en gras ?**
○ complément direct du verbe ○ adjectif épithète

b. **Donnez l'infinitif de ce mot :**

....

c. **Surlignez dans le texte d'autres formes verbales employées comme adjectif.**

bilan **Comment nomme-t-on cette forme verbale employée comme adjectif ?**

○ un participe passé ○ un infinitif ○ un auxiliaire

2 **Associez chaque phrase au schéma qui lui correspond.**

1. Elle a écrit cette lettre. •

2. Nous l'avons reçue hier. •

3. Paul a apporté son livre. •

• [sujet]—[auxiliaire *avoir*]—[participe passé]—[complément direct]

• [sujet]—[pronom complément]—[auxiliaire *avoir*]—[participe passé]

bilan **Quel schéma pouvez-vous proposer pour la phrase suivante ?**

Sa lettre est arrivée.

[..........................]——[..........................]——[..........................]

3 **a. Complétez chaque phrase avec le participe passé qui convient :**
cuisiné • cuisinée • cuisinées.

1. Cette sauce est .... avec des tomates.

2. Elle a .... ce plat pour ses invités.

3. Les pommes de terre que tu as .... sont délicieuses.

b. **Dans quelle phrase le participe passé s'accorde-t-il avec le sujet ? Quel est l'auxiliaire employé ?**

....

....

bilan **Dans quelle phrase le participe passé s'accorde-t-il avec le complément direct ? Quel est l'auxiliaire employé ?**

....

....

Je retiens

Pour accorder le participe passé, il existe trois cas.

1. Employé comme un **adjectif**, le participe passé s'accorde **en genre et en nombre avec le nom** ou **le pronom** auquel il se rapporte.

2. Avec l'auxiliaire **être**, le participe passé s'accorde **avec le sujet** du verbe.

3. Avec l'auxiliaire **avoir**, le participe passé s'accorde seulement **avec le complément direct** (encore nommé **COD**) **placé devant le verbe**.

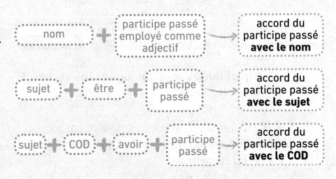

Mes exemples Écrivez une phrase avec deux participes passés employés comme adjectifs (1). Écrivez une autre phrase à un temps composé (2).

1. ....

2. ....

J'identifie le participe passé

4 * **Soulignez les participes passés.**

1. Le journaliste a parcouru de nombreux pays.

2. Ce costume est mal taillé.

3. Une fois la maison vendue, nous déménagerons !

5 * **Avec quel auxiliaire le participe passé est-il employé ? Reliez à la bonne étiquette.**

J'ai voulu te dire la vérité. •

Tu es trop occupée. •   • avoir

Vous avez reçu ce colis très vite ! •   • être

Sommes-nous arrivés ? •

6 ** **Soulignez les participes passés. Indiquez ensuite s'il s'agit du cas 1, 2 ou 3 de la leçon.**

1. Les romans de Le Clézio ? Je les ai tous lus !

Cas n° ....

2. Elle était persuadée que nous serions en retard.

Cas n° ....

3. L'été ensoleillé ravit les touristes.

Cas n° ....

J'accorde le participe passé

7 * **Soulignez le sujet du verbe, puis accordez le participe passé.**

1. Cette comédie a été invent......... par Molière.

2. Les pièces ont été cré......... avec des compositeurs.

3. Louis XIV était acclam......... pour sa participation.

4. Les spectateurs étaient impressionn......... .

8 ** **Accordez les participes passés dans les phrases suivantes.**

1. Elle regarde la mer déchainé........., battu......... par le vent.

2. Ces fiches ? Nous les avons préparé......... ensemble.

3. Ces projets ? Tu les as voulu........., tu les as eu......... .

9 a. * **Choisissez et surlignez les bonnes terminaisons.**

Elle marchait penché/ée en avant, la tête baissé/ée, comme une vieille [...]. L'anse de fer achevait d'engourdir et de geler ses petites mains mouillé/ée/és/ées ; de temps en temps elle était forcé/ée de s'arrêter.

V. Hugo, *Les Misérables*, 1862.

b. ** **Recopiez l'extrait en remplaçant elle par elles.**

....

....

....

....

Je m'entraine à la réécriture   **ORTHO**

10 ** **Réécrivez cet extrait au passé composé.**

La jeune fille resta longtemps immobile. Puis, elle serra ses mains avec force, les porta à ses lèvres, écarta les doigts, ramena ses cheveux derrière les oreilles et secoua énergiquement la tête.

D'après **I. Tourgueniev**, *Premier amour*, 1869.

....

....

....

....

J'applique ce que j'ai appris pour écrire ☺

Écrivez la dictée lue par votre enseignant-e.

Relisez-vous. Soulignez les six participes passés et vérifiez chaque accord.

....

....

....

....

....

....

Le conditionnel présent

Dans cette leçon, je vais apprendre à :
- ✔ Reconnaitre un verbe au conditionnel
- ✔ Conjuguer un verbe au conditionnel présent
- ✔ Identifier l'emploi du conditionnel

J'observe et je manipule

1 **a. Dans l'extrait, à quel temps est le verbe en rose ?**

....

J'avais part à l'affront, j'en ai cherché l'auteur :
Je l'ai vu, j'ai vengé mon honneur et mon père ;
Je le ferais encor, si j'avais à le faire.

P. Corneille, *Le Cid*, Acte III, scène 4, 1636.

b. Soulignez un verbe au même temps.

c. Mettez le dernier vers de l'extrait à la troisième personne du pluriel.

....

bilan **À quel temps est le premier verbe que vous avez réécrit ?**

○ futur simple   ○ imparfait   ○ conditionnel présent

2 **a. Quel est l'infinitif de l'auxiliaire en jaune ?** ....

....

J'aurais peut-être pu essayer comme d'autres l'avaient déjà réussi, de traverser le port à la nage […]

L.-F. Céline, *Voyage au bout de la nuit*, 1932,
© Éditions Gallimard.

b. Conjuguez cet auxiliaire.

Imparfait	Futur simple
....	....
....	....
....	....

c. Expliquez avec vos propres mots comment est construit le temps auquel est conjugué le verbe surligné en jaune.

....
....
....
....

bilan **Le verbe en jaune est conjugué au conditionnel présent. Conjuguez-le maintenant à toutes les personnes en utilisant votre réponse précédente.**

Avoir au conditionnel présent	
....	....
....	....
....	....

Je retiens

1. Le **conditionnel présent** associe **au radical du futur** (présence du -r-) **les terminaisons de l'imparfait** :
   -ais, -ais, -ait, -ions, -iez, -aient.

2. Ce temps permet d'exprimer une **condition** (d'où son nom).
   Il peut traduire un souhait, une incertitude, un ordre atténué.

3. Le conditionnel marque également **la postériorité** par rapport à un repère passé. *Ex. : Tu as dit que tu t'arrangerais pour être à l'heure.*

4. Pour ne pas confondre le conditionnel présent de la première personne du singulier avec un autre temps, **il faut remplacer par une autre personne**.
   Ex. : je regarderai – nous regarderons (futur simple)
   je regarderais – nous regarderions (conditionnel présent)

conjugaison du
conditionnel présent

radical du
futur + terminaisons de
l'imparfait

Mes exemples Conjuguez le verbe « vouloir » au conditionnel présent à toutes les personnes.

1. ....   **2.** ....   **3.** ....

4. ....   **5.** ....   **6.** ....

Je m'exerce

Je reconnais un verbe au conditionnel présent

3 * Classez les verbes du texte dans le tableau.

Emma songeait à son bouquet de mariage, qui était emballé dans un carton, et se demandait, en rêvant, ce qu'on en ferait, si, par hasard elle venait à mourir.

G. Flaubert, *Madame Bovary*, 1857.

Verbes à l'imparfait	Verbe au conditionnel présent

4 * Conjuguez le verbe *faire* au conditionnel présent et à toutes les personnes.

....

....

5 * Barrez les verbes qui ne sont pas au conditionnel présent.

je partirai • tu reviendrais • nous aurions • vous voudriez • vous voudrez • il écrirait • elles gagneront

6 ** Entourez les verbes au conditionnel présent.

1. Demain, je pourrai t'accompagner à ton rendez-vous.
2. Je pourrais peut-être t'aider si tu es d'accord.
3. Vous pourriez vous excuser !
4. Pourrez-vous revenir demain ?
5. Connaitriez-vous la réponse ?
6. Nous viendrons avec vous !
7. Je courais acheter ce livre.
8. Elles liraient ces romans.

7 Qui ne serait pris d'un léger frisson et n'aurait à maîtriser une aversion, une appréhension secrète si c'est la première fois […] qu'il met le pied dans une gondole vénitienne ?

T. Mann, *La Mort à Venise*, 1912.

a. * Entourez les formes verbales au conditionnel présent.

b. ** Donnez leur infinitif.

....

Je conjugue au conditionnel présent

8 ** Conjuguez chaque verbe entre parenthèses au conditionnel présent.

1. ....-tu me passer le sel ? *(pouvoir)*

2. Qui .... un tel vacarme ? *(supporter)*

3. Nous .... vous inviter. *(souhaiter)*

9 ** Complétez les verbes avec les terminaisons qui conviennent.

1. On dir........ que tu ser........ l'arbitre pour ce match.

2. Si je m'écoutais, je finir........ ce gâteau !

3. Vous mériter........ les félicitations !

10 ** Réécrivez ces phrases à la personne indiquée.

1. Voudrais-tu cette dernière part de tarte ? *(vous)* ....

2. Auriez-vous l'obligeance de me tenir la porte ? *(tu)* ....

J'identifie l'emploi du conditionnel présent

11 *** Indiquez l'emploi du conditionnel dans chaque phrase : condition, information incertaine, politesse ou postériorité.

1. Si je gagnais, elles seraient ravies. ....

2. Pourriez-vous m'indiquez l'entrée ? ....

3. Je savais que tu viendrais ? ....

4. Un accident serait survenu. ....

J'applique ce que j'ai appris pour écrire ☺

Écrivez la suite de la phrase ci-dessous en utilisant des verbes au conditionnel présent.

Si je le pouvais, je ....

....

....

....

30 Le subjonctif présent

J'observe et je manipule

1

Qu'ailleurs la bassesse soit grande,
Que l'homme soit vil et bourbeux,
J'en souris, pourvu que j'entende
Une clochette au cou des bœufs. […]

V. Hugo, « Écrit en 1827 »,
Les Chansons des rues et des bois, 1865.

a. Quel est l'infinitif du verbe « soit » ? ○ asseoir   ○ être

b. Recopiez le vers 2 en remplaçant le verbe par *devenir*.

c. À quels mode et temps avez-vous conjugué le verbe *devenir* ? ○ présent du subjonctif   ○ présent de l'indicatif

bilan **Soulignez dans le texte un verbe conjugué au même mode et temps.**

2 a. Qu'expriment les verbes dans ces deux phrases ? ○ une question   ○ un ordre   ○ un sentiment

1. Qu'il parle maintenant ou se taise à jamais ! **2.** Qu'ils partent avant midi.

b. Inventez une phrase commençant par « Qu'… ». Quelle personne avez-vous utilisée ?

3 a. Avec quel auxiliaire le participe passé *finies* **est-il employé ? À quel mode cet auxiliaire est-il conjugué ?**

ANGÉLIQUE – […] Comment ? Parce qu'un homme s'avise de nous épouser, il faut d'abord que toutes choses **soient finies** pour nous, et que nous rompions tout commerce avec les vivants ? C'est une chose merveilleuse que cette tyrannie de Messieurs les maris, et je les trouve bons de vouloir qu'on soit morte à tous les divertissements, et qu'on ne vive que pour eux. […]

Molière, *George Dandin*, acte II, scène 2, 1668.

b. Associez chaque verbe avec son infinitif.

soient •   • vivre
rompions •   • être
vive •   • rompre
soit •

bilan **Conjuguez au subjonctif présent le verbe** *être* **en vous aidant des deux formes présentes dans le texte.**

1. (que) je _____   **2.** (que) tu _____   **3.** (qu') il/elle _____

4. (que) nous _____   **5.** (que) vous _____   **6.** (qu') elles/ils _____

Je retiens

1. **Les terminaisons du subjonctif présent** sont les mêmes pour tous les verbes (sauf *avoir* et *être*) : -e, -es, -e, -ions, -iez, -ent.

2. **Le radical** est le plus souvent celui de la **1re personne du pluriel** de l'indicatif présent. **Attention** : certains verbes du **3e groupe** ont un radical différent au subjonctif.

3. Le subjonctif présent permet d'exprimer un **ordre**, un **conseil**. On le trouve donc souvent dans des **phrases exclamatives**. Ex. : *Qu'il revienne vite !*

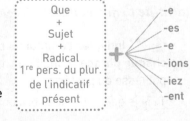

Mon exemple Écrivez une phrase avec des verbes conjugués au subjonctif présent.

Je repère un verbe au subjonctif présent

4 * Entourez les verbes au subjonctif présent.

1. Il faut que vous réagissiez.

2. Elle tient vraiment à ce que tu viennes.

5 ** Donnez l'infinitif de chaque verbe que vous avez entouré. ....

....

6 ** Associez chaque forme verbale au présent de l'indicatif à son subjonctif présent.

je viens •   • (qu') il se coiffe

il se coiffe •   • (qu') il finisse

il finit •   • (que) nous achetions

nous achetons •   • (que) je vienne

Je conjugue au subjonctif présent

7 a. * Surlignez la forme verbale qui convient.

1. Pour que tu **reviens/revienne/reviennes** à l'heure, il faut partir maintenant.

2. Il faut qu'elle **arrête/arrêtes/arrêtent** de ne pas avoir confiance en elle.

b. * À quels mode et temps les formes verbales que vous avez entourées sont-elles conjuguées ?

....

8 ** Conjuguez chaque verbe entre parenthèses au subjonctif présent.

1. Je crains que tu ne .... (*pouvoir*) pas venir.

2. Il faudrait que vous .... (*manger*) plus équilibré.

3. Je souhaite qu'ils m' .... (*attendre*).

9 ** Complétez chaque phrase avec un verbe de votre choix conjugué au subjonctif présent.

1. Souhaitez-vous que je vous .... ?

2. Pour que nous .... , il faut fournir de gros efforts.

10 ** Complétez ces phrases avec un verbe du 3e groupe conjugué au subjonctif présent.

1. Pour que je .... cette partie, il faudrait un coup du sort !

2. Il faut qu'elle .... avant 21h00.

3. Vous voulez qu'ils .... la vérité !

4. Pourvu que tu .... à temps.

5. Tu redoutes qu'il s'en .... vite !

6. Il est urgent que tu .... la gravité de la situation.

11 ** Utilisez ces verbes dans une phrase où ils seront conjugués au subjonctif présent.
faire • savoir.

....

....

....

....

Je corrige une copie d'élève   **ORTHO**

12 * Un élève a fait des erreurs de conjugaison dans son texte. Corrigez-les !

Je téléphone à ma sœur pour qu'elle vient me chercher et que nous allons à la piscine. Il faut que nous prenons le bus et que nous descendons au terminus.

....

....

....

J'applique ce que j'ai appris pour écrire ☺

Inventez cinq règles de vie de classe en commençant par : « En classe, il faut que nous… » Employez au moins trois verbes du troisième groupe.

....

....

....

....

....

....

Avez-vous bien compris les leçons sur les accords du verbe ?
Vérifiez en lisant cet extrait et en répondant aux questions d'un groupe.

Les cheveux de Miette

Le narrateur décrit Miette, une jeune fille à la belle chevelure.

Elle avait des cheveux superbes ; plantés rudes et droits sur le front, ils se rejetaient puissamment en arrière, ainsi qu'une vague jaillissante, puis coulaient le long de son crâne et de sa
5 nuque, pareils à une mer crépue, pleine de bouillonnements et de caprices, d'un noir d'encre. Ils étaient si épais qu'elle ne savait qu'en faire. Ils la gênaient. Elle les **tordait** en plusieurs brins, de la grosseur d'un poignet d'enfant, le plus
10 fortement qu'elle pouvait, pour qu'ils tinssent moins de place, puis elle les massait derrière sa tête. Elle n'avait guère le temps de songer à sa coiffure, et il arrivait toujours que ce chignon énorme, fait sans glace et à la hâte, prenait sous
15 ses doigts une grâce puissante. À la voir coiffée de ce casque vivant, de ce tas de cheveux frisés qui débordaient sur ses tempes et sur son cou comme une peau de bête, on comprenait pourquoi elle allait tête nue, sans jamais se soucier
20 des pluies ni des gelées.

É. **Zola**, *La Fortune des Rougon*,
chapitre I, 1871.

Groupe 1

Je repère

1. À quel temps de l'indicatif la plupart des verbes sont-ils conjugués ? ○ présent ○ imparfait

2. Quel est l'infinitif du verbe en gras ? À quel groupe appartient-il ?

3. a. Quel est l'infinitif de « *comprenait* » **(l.18) ?**

b. Donnez un autre verbe composé sur le radical *-prend-*.

Je manipule

**4. Entourez une proposition correspondant à cette construction : sujet – verbe – COD.
Justifiez ensuite l'accord sujet-verbe.**

5. a. Soulignez le sujet. « Ils la gênaient » (l. 7-8)
b. Quel mot le pronom « la » **reprend-il ?**

c. Le verbe ne s'accorde pas avec « la » **car c'est :**
○ un déterminant. ○ un COD. ○ un auxiliaire.

J'écris

**6. C'est maintenant l'été. Racontez comment Miette se coiffe pour ne pas souffrir de la chaleur.
Votre récit sera rédigé à l'imparfait de l'indicatif et vous utiliserez les verbes suivants :** mettre – couvrir – tenir – prendre – pouvoir.

Groupe 1, 2 ou 3 : *je rédige en respectant la consigne 6*

Groupe 2

Je repère

1. À quel temps de l'indicatif la plupart des verbes sont-ils conjugués ? ○ imparfait ○ passé composé

2. Soulignez quatre verbes du même groupe que le verbe en gras et conjugués au même temps.

3. a. Quel est l'infinitif de « *comprenait* **» (l.18) ?**

b. Donnez deux autres verbes composés sur le radical *-prend-*.

Je manipule

4. Entourez deux propositions correspondant à cette construction : sujet – verbe – COD. Justifiez ensuite l'accord sujet-verbe.

5. a. Soulignez le sujet.
« Elle les tordait en plusieurs brins » (l. 8)

b. Numérotez les étiquettes selon le schéma de la phrase ci-dessus.

| verbe | sujet | COD | complément de phrase |

c. Expliquez l'accord sujet-verbe.

J'écris

6. C'est maintenant l'été. Racontez comment Miette se coiffe pour ne pas souffrir de la chaleur. Vous utiliserez ces groupes nominaux comme sujets : ses cheveux – une tresse – un foulard – sa nuque. Votre récit sera essentiellement rédigé au présent de l'indicatif.

Groupe 3

Je repère

1. À quel temps de l'indicatif la plupart des verbes sont-ils conjugués ?

2. Soulignez quatre verbes du même groupe que le verbe en gras et conjugués au même temps.

3. a. Quel est l'infinitif de « *comprenait* **» (l.18) ?**

b. Donnez quatre autres verbes composés sur le radical *-prend-*.

Je manipule

4. Entourez trois propositions correspondant à cette construction : sujet – verbe – COD.

Justifiez ensuite l'accord sujet-verbe.

5. a. Soulignez le verbe.
« elle les massait derrière sa tête. » (l. 11)

b. Complétez le schéma de la phrase.

| complément de phrase |

c. Expliquez l'accord du sujet.

J'écris

6. C'est maintenant l'été. Racontez comment Miette se coiffe pour ne pas souffrir de la chaleur. Votre récit sera rédigé au passé composé. Soyez attentif-ve à l'accord de chaque participe passé.

Compétences évaluées	🙂🙂🙁
J'évalue mes acquis en complétant chaque smiley.	
1. J'ai identifié un temps de l'indicatif.	☺
2. J'ai repéré le sujet d'un verbe.	☺
3. J'ai reconnu une structure : sujet – verbe – complément du verbe.	☺
4. J'ai expliqué l'accord d'un verbe avec son sujet.	☺

• Dans cette double page, vous allez **réviser** ce que vous avez déjà appris pour vous **préparer** aux leçons qui vont suivre.

• **Lorsque vous en avez besoin**, vous pouvez consulter la ⟩*Boîte à outils*⟩ et cocher au fur et à mesure les outils que vous avez utilisés.

Lettre 99

Rica à Rhédi. À Venise.

Je trouve les caprices de la mode, chez les Français, étonnants. Ils ont oublié comment ils étaient habillés cet été ; ils ignorent encore plus comment ils le seront cet hiver : mais sur-
5 tout on ne saurait croire combien il en coûte à un mari, pour mettre sa femme à la mode. […]

Quelquefois les coiffures montent insensiblement, et une révolution les fait descendre tout à coup. Il a été un temps que leur hauteur immense mettait le visage d'une femme au milieu
10 d'elle-même : dans un autre, c'était les pieds qui occupaient cette place ; les talons faisaient un piédestal qui les tenait en l'air. Qui pourrait le croire ? les architectes ont été souvent obligés de hausser, de baisser et d'élargir leurs portes, selon que les parures des femmes exigeaient d'eux ce changement ; et les règles de
15 leur art ont été asservies à ces caprices.

Montesquieu, *Lettres persanes*, 1721.

Ce que je peux savoir avant de lire l'extrait

a. Qui est l'expéditeur de cette lettre ?

○ Rica   ○ Rhédi   ○ Montesquieu

⟩*Boîte à outils* **1**⟩

b. L'expéditeur de la lettre est :

○ français.   ○ persan.
○ vénitien.

Je vérifie ma compréhension de l'extrait

c. L'expéditeur de la lettre observe les coutumes des :

○ Français.   ○ Persans.
○ Vénitiens.

d. Donnez des exemples précis d'éléments observés par le rédacteur de la lettre.

....

....

e. De quels « caprices » (l. 2 et 15) est-il question dans l'extrait ?

....

....

....

....

....

....

---

1 **Je distingue les phrases simples et les phrases complexes**

a. Surlignez les verbes conjugués du premier paragraphe.

b. Combien comptez-vous de phrases dans ce paragraphe ?

○ deux   ○ quatre   ○ sept

c. Combien y comptez-vous de propositions ?

○ deux   ○ quatre   ○ sept

d. Le premier paragraphe contient.

○ une phrase simple et une phrase complexe
○ une phrase simple et trois phrases complexes
○ une phrase simple et six phrases complexes

⟩*Boîte à outils* **2**⟩

Compétences travaillées

Dans cet atelier, je vérifie que je sais :

✔ Distinguer les phrases simples et les phrases complexes
✔ Distinguer différentes formes de proposition
✔ Comprendre le fonctionnement des propositions subordonnées

2 Je sais distinguer différentes formes de proposition

a. Soulignez dans le texte.

1. Deux propositions reliées par la conjonction de coordination *et*.
2. Des propositions juxtaposées séparées par un point-virgule.
3. Deux propositions reliées par le pronom relatif *qui*.
4. Deux propositions reliées par une locution conjonctive de subordination contenant *que*.

b. Pour chaque cas, précisez s'il s'agit d'une juxtaposition, d'une subordination ou d'une coordination.

1. ....

2. ....

3. ....

4. ....

Boîte à outils **3**

3 Je comprends le fonctionnement des propositions subordonnées

a. Complétez la phrase suivante par une proposition subordonnée introduite par *parce que*.

Les caprices de la mode sont étonnants ....

b. La proposition « les caprices de la mode sont étonnants » **peut-elle être supprimée ?**
◯ oui   ◯ non

c. La proposition que vous avez ajoutée peut-elle être supprimée ?
◯ oui   ◯ non

d. Reliez les étiquettes suivantes :

| proposition principale | • | • | dépendante | • | • | supprimable |

| proposition subordonnée | • | • | indépendante | • | • | non supprimable |

Boîte à outils **4**

➡ *Boîte à outils* ⬅

◯ **1** L'auteur d'un recueil de lettres prétend souvent n'être que l'éditeur de lettres trouvées. Il faut donc le distinguer de l'expéditeur et du destinataire.

◯ **2** Une phrase est un ensemble de mots ayant un sens, elle commence par une majuscule et se termine par un point. Dans une phrase complexe, il y a autant de propositions que de verbes conjugués.

◯ **3** Les propositions d'une phrase complexe peuvent être juxtaposées, coordonnées ou subordonnées. La ponctuation, les conjonctions de coordination et de subordination ainsi que les pronoms relatifs permettent de les distinguer.

◯ **4** La proposition subordonnée dépend de la proposition principale. Les conjonctions de subordination renseignent sur la relation logique qui unit ces propositions. Par exemple, *parce que* exprime la cause.

31 | Les compléments de phrase

Connaissances et compétences visées

Dans cette leçon, je vais apprendre à :

✔ Repérer les compléments de phrase
✔ Comprendre le rôle des compléments de phrase
✔ Utiliser les prépositions

J'observe et je manipule

1 **Une après-midi, à la récréation de quatre heures**, le grand Michu me prit **à part**, **dans un coin de la cour**. Il avait un air grave qui me frappa d'une certaine crainte ; car le grand Michu était un gaillard, aux poings énormes, que **pour rien au monde**, je n'aurais voulu avoir pour ennemi.

É. Zola, « Le grand Michu », Nouveaux contes à Ninon, 1874.

a. Classez les éléments en gras dans le tableau suivant.

Complément de lieu	Complément de temps	Complément de manière

b. Surlignez les expressions en gras qui contiennent une préposition.

bilan Rédigez une phrase permettant de situer le cadre de l'action (personnages, lieu, moment).
L'action se déroule ....

2 Remettez ces phrases dans le bon ordre.

1. | il | te voir | à | absolument | sept heures | veut |

....

2. | plus grand que | tu | es | depuis toujours | lui |

....

3. | déplaçons | pour | en silence | nous |
| mieux les entendre | nous |

....

3 Complétez chaque phrase avec la préposition qui convient.

dès • dans • pour • par • sur • chez

1. Il est arrivé .... lui.

2. Nous sommes .... le jardin.

3. Il hurle .... qu'on le touche.

4. Nous sommes venus .... rien.

5. Les clés sont posées .... le meuble.

6. Nous nous sommes croisés .... hasard.

bilan Où les compléments de phrase sont-ils placés le plus souvent ?

....

Je retiens

1. Le complément de phrase **complète l'ensemble de la phrase**. Il peut donc être **déplacé** et **supprimé**. Il apporte des **précisions sur les circonstances de l'action** : le lieu, le temps, la manière, le moyen, l'accompagnement, la cause, la conséquence, le but, la comparaison.

2. Les **GN**, **pronoms** et **infinitifs** qui complètent une phrase sont souvent introduits par des **prépositions** : <u>à</u> l'heure du départ, <u>dans</u> la rue, <u>pour</u> finir, <u>avec</u> lui, <u>en</u> silence, <u>par</u> erreur...

3. Les **propositions subordonnées conjonctives** qui complètent une phrase sont introduites par des **conjonctions de subordination** : *comme, quand, parce que, tandis que, si bien que...*

4. Les **adverbes de manière** qui complètent une phrase sont, le plus souvent, formés à partir du féminin d'un adjectif auquel on ajoute le **suffixe -ment** : *sereinement, certainement...*

> **Compléments de phrase**
> *lieu, temps, manière, moyen, accompagnement, cause, conséquences, but, comparaison*
>
> **GN, pronom, infinitif** avec ou sans préposition
>
> **Proposition subordonnée conjonctive** conjonction de subordination
>
> **Adverbe** manière **-ment**

Mon exemple Rédigez une phrase contenant un complément de phrase que vous soulignerez.

....

Je m'exerce

Je sais reconnaitre des compléments de phrase

4 * **Réécrivez les phrases ci-dessous sans leur complément.**

1. Grâce à toi, il s'en est sorti.

....

2. Il est si fatigué qu'il dort debout.

....

3. Nous sommes en retard car le bus n'est pas passé.

....

4. Elle vient pour me féliciter.

....

5 a. * **Repérez tous les compléments de phrase.**

1. J'y suis, j'y reste.

2. Naturellement, personne ne répond.

3. Il travaille toujours à Bangkok.

4. Dans deux minutes, il partira là-bas.

5. Il se met à courir pour attraper son train.

b. ** **Identifiez la classe grammaticale de chaque complément de phrase :**
– soulignez en bleu les GN,
– encadrez un infinitif avec préposition,
– surlignez les adverbes.

Je comprends le sens des compléments de phrase

6 ** **Quelle est la fonction des compléments de phrase en gras ?**

1. Il agit **machinalement** : ....

2. Je ris **parce que tu es drôle** : ....

3. Elle peint **avec ses doigts** : ....

4. Il prend des notes **de peur d'oublier** : ....

7 a. * **Soulignez la préposition qui introduit chaque complément de phrase.**

b. ** **Reliez chaque complément de phrase à la fonction qui convient.**

1. Il fait l'exercice sans trainer. •

2. Je suis parti sans toi. •

3. Il escalade le mur sans chaussures. •

4. Nous sommes venus avec nos parents. •

5. Il a travaillé avec son cœur. •

6. Elle travaille avec sa tablette. •

• complément de moyen

• complément de manière

• complément d'accompagnement

Je sais utiliser les compléments de phrase

8 ** **ORTHO** **Formez un adverbe de manière à partir de chaque adjectif.**

1. doux : ....   **2.** vrai : ....

3. gentil : ....   **4.** fréquent : ....

5. immense : ....

6. malheureux : ....

9 *** **ORTHO** **Complétez les phrases à l'aide des indices donnés entre parenthèses.**

1. J'ai cassé la vitre *(C moyen ; GN avec préposition)*

....

2. Nous patientons *(C temps ; groupe infinitif avec préposition)*

....

3. Il me regarde *(C manière ; adverbe en -ment)*

....

J'applique ce que j'ai appris pour écrire ☺

Vous avez surpris une conversation. Racontez en quelques lignes dans quelles circonstances et pourquoi vous avez préféré écouter en cachette ou vous en aller.

....

....

....

....

....

....

....

....

....

....

J'observe et je manipule

1 La voix avait été poignante, l'homme qui était là paraissait si calme qu'au premier abord on ne comprit pas. On se demanda qui avait crié. On ne pouvait croire que ce fût cet homme si tranquille qui eût jeté ce cri effrayant.

V. Hugo, *Les Misérables*, 1862.

a. Surlignez les verbes conjugués du texte et isolez chaque proposition entre crochets.

b. Combien comptez-vous de verbes conjugués ?

....

c. Combien de propositions avez-vous identifiées ?

....

bilan Qu'en déduisez-vous ?

....

2 Reliez les propositions des deux listes afin de reconstituer des phrases complexes cohérentes.

1. Beaucoup de poèmes du XVIᵉ siècle sont des sonnets... •

2. Par ses poèmes, Du Bellay confirme... •

3. Pétrarque a vécu au XIVᵉ siècle... •

4. Les poèmes d'amour sont lyriques : ... •

5. La poésie est musicale, ... •

6. Ronsard a connu Du Bellay, ... •

• **A.** ...qu'il s'est inspiré du poète italien Pétrarque.

• **B.** ...qui évoquent le sentiment amoureux.

• **C.** ...ils permettent d'exprimer des émotions.

• **D.** ...et il est encore lu de nos jours.

• **E.** ...en effet tous deux faisaient partie de la Pléiade.

• **F.** ...ainsi elle est souvent adaptée en chanson.

bilan Classez les propositions A, B, C, D, E et F dans le tableau.

Proposition juxtaposée	Proposition coordonnée	Proposition subordonnée

3 Complétez le texte suivant par le mot ou l'expression qui convient :
et • comme • qui • quand • si bien qu'. Plusieurs réponses sont possibles.

.... j'approchais de la falaise, je me trouvai soudain enveloppé d'un brouillard opaque .... m'aveugla. Une étrange sensation m'envahit .... je perçus un bourdonnement étrange. Je ressentis de violentes piqûres sur tout le corps .... il me prit l'envie d'hurler. Je me mis à courir à vive allure .... j'aperçus le précipice à quelques pas de moi.

Je retiens

1. La **phrase complexe** contient autant de **verbes conjugués** que de **propositions**. Elle permet d'indiquer des **liens logiques** entre plusieurs actions ou idées.

2. Les propositions d'une phrase complexe peuvent être :
  – **juxtaposées** (séparées par une **virgule**, un **point-virgule** ou **deux-points**).
  – **coordonnées** (liées par une **conjonction de coordination** ou un **adverbe**).
  – **principales** : dont dépendent les subordonnées conjonctives.
  – **subordonnées** (introduites par une **conjonction de subordination** ou un **pronom relatif**).

Proposition juxtaposée	Proposition coordonnée	Proposition subordonnée	
séparée par , ; :	reliée par **mais, ou, et, donc, or, ni, car** ou par un adverbe	**relative** : dépend de l'antécédent	**conjonctive** (**complétive** ou **circonstancielle**) : elle dépend du verbe de la principale

Mon exemple Rédigez une phrase complexe. Précisez s'il s'agit d'une juxtaposition, d'une coordination ou d'une subordination.

....

Je m'exerce

J'identifie la structure d'une phrase complexe

4 a. * **Ajoutez cinq signes de ponctuation pour retrouver les propositions de la phrase complexe.**

Les mains dans les mains restons face à face
Tandis que sous
Le pont de nos bras passe
Des éternels regards l'onde si lasse

> **G. Apollinaire,**
> « Le pont Mirabeau », *Alcools*, 1913.

b. ** **Combien y a-t-il de propositions ?**
○ 2   ○ 3   ○ 4

c. *** **De quel type de propositions s'agit-il ?**
○ principale   ○ juxtaposée
○ coordonnée   ○ subordonnée

5 a. * **Entourez le mot qui relie les propositions dans chaque phrase.**

1. La fille que je vais te présenter est mon amie.

2. Je ne crois pas qu'il ait raison.

3. Je veux que tu viennes et que tu restes.

4. Les professeurs que nous avons eus sont exigeants.

b. ** **Indiquez pour chaque phrase s'il s'agit d'une proposition complétive ou relative.**

Je crée des phrases complexes

6 a. ** **À partir des deux phrases simples proposées, créez une juxtaposition, une coordination et deux subordinations (relative, circonstancielle).**

Théo est souffrant. Il va chez le médecin.

juxtaposition

coordination

relative

circonstancielle

b. ** **Rédigez maintenant une phrase contenant une proposition complétive.**

Quelles modifications avez-vous dû faire ?

Je rédige un paragraphe

7 *** **ORTHO** **Transformez ces six phrases simples en trois phrases complexes. Vous devez créer une juxtaposition, une coordination et une subordination.**

La plupart des romans du XIXᵉ siècle sont réalistes. Ils sont inspirés de la société. Les romanciers réalistes refusent d'embellir la réalité. Ils exploitent les thèmes du quotidien. Ils nous informent sur leur époque. Ils font aussi preuve d'imagination.

J'applique ce que j'ai appris pour écrire ☺

Rédigez votre avis sur l'un de ces thèmes en commençant par : *Je pense...*

Vous écrirez deux ou trois phrases complexes.

1. La télévision.

2. Les nouvelles technologies.

3. La presse et les journaux.

33 Les conjonctions de coordination et de subordination

Connaissances et compétences visées

Dans cette leçon, je vais apprendre à :
- ✔ Étudier les relations logiques introduites par les conjonctions
- ✔ Rétablir le sens d'un texte à l'aide de conjonctions

J'observe et je manipule

1 Surlignez les conjonctions de coordination, de subordination et les locutions conjonctives.

1. Bien qu'ils évoluent dans un contexte précis et réaliste, les personnages de Zola sont imaginaires.

2. Balzac a écrit près de cent romans parce qu'il souhaitait composer *La Comédie humaine*, or son projet était trop ambitieux, il ne l'a donc pas achevé.

3. Flaubert est devenu célèbre quand il a publié *Madame Bovary* mais son roman fut censuré.

bilan Classez les mots surlignés dans le tableau.

Conjonction de coordination	Locution conjonctive	Conjonction de subordination

2 Reliez chaque phrase à la relation logique qui convient.

1. Je renonce puisque c'est difficile. •   • **A.** Condition
2. Lorsqu'il est là, je me sens bien. •   • **B.** Cause
3. Elle crie, donc on ne s'entend plus. •   • **C.** Conséquence
4. Si tu essaies, tu y arriveras. •   • **D.** Temps
5. Iras-tu au cinéma ou à la piscine ? •   • **E.** Alternative

bilan Soulignez dans chaque phrase le mot qui vous a permis de répondre.

3 Complétez le texte avec la conjonction de coordination ou de subordination qui convient. Attention, certaines conjonctions peuvent être employées plusieurs fois.

du moment qu' • et • quand • puisque • mais • qu' • ni

Il s'appelait Loulou. Son corps était vert, le bout de ses ailes roses, son front bleu, _____ sa gorge dorée _____ il avait la fatigante manie de mordre son bâton [...].

Il était placé auprès de la porte, _____ plusieurs s'étonnaient _____ il ne répondît pas au nom de Jacquot, _____ tous les perroquets s'appellent Jacquot. On le comparait à une dinde, à une bûche : autant de coups de poignard pour Félicité ! Étrange obstination de Loulou, ne parlant plus _____ on le regardait ! [...]

_____ il descendait l'escalier, il appuyait sur les marches la courbe de son bec, levait la patte droite, puis la gauche ; _____ elle avait peur _____ une telle gymnastique ne lui causât des étourdissements. Il devint malade, ne pouvant plus parler _____ manger.

G. **Flaubert**, « Un cœur simple », *Trois contes*, 1877.

Je retiens

1. Les **conjonctions de coordination** relient **deux mots** ou **deux propositions coordonnées** : *mais, ou, et, donc, or, ni, car...*

2. Les **conjonctions de subordination** relient **une proposition principale** et **une proposition subordonnée** : *que, lorsque, quand, puisque, comme, si...* (conjonctions) ; *parce que, afin que, pour que, dès que, bien que, de sorte que, tandis que...* (locutions conjonctives).

3. Une conjonction exprime une **relation logique** telle que la cause, la conséquence...

| Proposition | Conjonction de coordination | Proposition |

| Conjonction de subordination | Proposition subordonnée | Proposition principale |

| Proposition principale | Conjonction de subordination | Proposition subordonnée |

Mes exemples Rédigez deux phrases : la 1re contenant une conjonction de coordination (1), la 2e contenant une conjonction de subordination (2).

1. ....

2. ....

Je m'exerce

J'utilise les conjonctions de coordination et de subordination

4 * Reliez les deux phrases par une conjonction de votre choix.

1. Il est malade. Il ne s'est pas assez protégé du froid.

2. Il n'a pas révisé. Il a eu une mauvaise note.

3. Il roule en voiture. Il n'a pas le permis.

4. Il doit rattraper son contrôle. Il a été absent.

5. Ils se sont donné du mal. La fête est réussie.

6. Le chien aboie. La sonnette vient de retentir.

5 ** Pour chaque phrase de l'exercice 4, indiquez si vous avez rétabli une relation de cause, de conséquence, de but ou d'opposition.

1. _____ **2.** _____ **3.** _____ **4.** _____ **5.** _____ **6.** _____

J'étudie le rôle des conjonctions de coordination et de subordination

6 ** Complétez le tableau en vous aidant du modèle proposé.

Exemple de conjonction	Classe grammaticale	Lien logique	Exemple d'emploi
bien que	*conjonction de subordination*	*opposition*	*Il ne progresse pas bien qu'il soit attentif.*
		cause	
à condition que			
		opposition	
			Je le retiens de peur qu'il ne s'échappe.
		conséquence	
			Si tu ne rentres pas, je vais m'inquiéter.

J'identifie les conjonctions de coordination et de subordination

7 a. ** Barrez l'intrus qui s'est glissé dans chacune des séries suivantes.

1. *avant que, après que, pendant que, pour que, au moment où.*
2. *comme, mais, lorsque, si, quand, puisque, que.*
3. *bien que, parce que, alors que, lorsque, tandis que.*

b. *** Expliquez vos choix.

1. _____

2. _____

3. _____

J'applique ce que j'ai appris pour écrire ⌣

Rédigez votre avis sur l'un des sujets suivants en employant trois ou quatre conjonctions.
1. Avoir un téléphone portable au collège.
2. Faire du sport après les cours.

L'emploi du subjonctif dans les propositions subordonnées conjonctives

J'observe et je manipule

1 Il a fallu qu'il se jette au milieu du combat, qu'il me dérobe, qu'il ouvre l'égout, qu'il m'y traîne, qu'il m'y porte ! Il a fallu qu'il fasse plus d'une lieue et demie dans d'affreuses galeries souterraines, avec un cadavre sur le dos !

V. Hugo, *Les Misérables*, 1862.

Verbe appartenant à une proposition principale	Verbe appartenant à une proposition subordonnée	Mode du verbe

Classez les verbes conjugués du texte dans le tableau.

bilan Que remarquez-vous ?

....

....

2 a. Associez chaque phrase à l'étiquette qui convient.

souhait   volonté   regret   crainte

1. Chimène redoute que Rodrigue tue son père. : ....

2. Rodrigue est désolé que son père ait été offensé. : ....

3. Il espère que Chimène le reçoive. : ....

4. Chimène veut que Rodrigue soit sauvé. : ....

b. Soulignez les verbes au subjonctif.

bilan Dans quelle partie des phrases le subjonctif apparait-il ? Pour quelle raison ?

....

....

....

....

3 Conjuguez les verbes entre parenthèses en choisissant entre l'indicatif présent et le subjonctif présent.

1. Il .... *(falloir)* que je .... *(réfléchir)* au problème.

2. Bien que cette voiture leur .... *(plaire)*, ils .... *(hésiter)* à l'acheter.

3. Nous .... *(regretter)* que vous .... *(prendre)* cette décision.

bilan Entourez les mots ou expressions qui vous ont aidé à choisir.

Je retiens

1. L'emploi du **subjonctif** est essentiellement **commandé par le verbe de la proposition principale**.

2. Il s'emploie dans les subordonnées **conjonctives compléments du verbe** après :
- un verbe de **sentiment** exprimant le **doute**, la **crainte**, la **volonté**, le **souhait**...
- un verbe **impersonnel**
- un verbe d'**opinion à la forme négative**.

3. On le trouve aussi dans les **propositions subordonnées conjonctives circonstancielles** exprimant une **action à venir**, un **but** ou une **condition**.

Subjonctif employé dans les propositions subordonnées conjonctives

compléments du verbe
après un verbe impersonnel, de sentiment, d'opinion niée, exprimant le doute, la crainte, la volonté, le souhait...

circonstancielles
exprime l'action à venir, le but, la condition

Mon exemple Rédigez une phrase complexe contenant un verbe conjugué au subjonctif.

....

Je distingue l'indicatif et le subjonctif

4 * Complétez le tableau pour réviser la conjugaison des auxiliaires.

Être		Avoir	
Présent de l'indicatif	Présent du subjonctif	Présent de l'indicatif	Présent du subjonctif

5 * Surlignez le mode qui convient.

1. Je sais qu'il a / ait raison.

2. Qu'il est /soit là m'étonne.

3. Quoi qu'il fait / fasse, il s'en sortira.

4. Vous suggérez qu'il doit / doive essayer.

6 ** Soulignez les propositions subordonnées dans le texte. Entourez les verbes au subjonctif.

BELINE. – Il faut, Toinette, que tu m'aides à exécuter mon dessein, et tu peux croire qu'en me servant ta récompense est sûre. Puisque, par un bonheur, personne n'est encore averti de la chose, portons-le dans son lit, et tenons cette mort cachée jusqu'à ce que j'aie fait mon affaire. Il y a des papiers, il y a de l'argent, dont je veux me saisir, et il n'est pas juste que j'aie passé sans fruit auprès de lui mes plus belles années. Viens, Toinette ; prenons auparavant toutes ses clefs.

Molière, *Le Malade imaginaire*, III, 11, 1673.

Je comprends la valeur du subjonctif

7 a. ** Soulignez en vert les verbes à l'indicatif et en rouge les verbes au subjonctif. Puis, entourez les mots qui permettent de justifier l'emploi du subjonctif.

b. ** Reliez les deux listes selon la valeur du subjonctif.

1. Je voudrais bien qu'il paye. •

2. Nous l'avons puni afin qu'il ne récidive pas. •

3. Elle doit être arrivée à moins qu'elle ait raté son train. •

4. Il veut terminer avant qu'elle n'arrive. •

• **A.** volonté

• **B.** condition

• **C.** but

• **D.** action à venir

J'utilise le subjonctif dans les propositions subordonnées conjonctives

8 ** **ORTHO** Remplacez les GN en gras par des propositions subordonnées conjonctives.

1. Elle ne croit pas **en son histoire**.

....

2. Il veut le revoir pour **leur réconciliation**.

....

9 ** **ORTHO** Réécrivez les phrases au présent.

1. Il ne pensait pas que vous eussiez raison.

....

2. Elle regrettait que nous partissions.

....

J'applique ce que j'ai appris pour écrire ☺

Quel est selon vous le rôle d'un-e délégué-e de classe ?

Répondez à la question en employant les verbes *falloir*, *souhaiter*, *nécessiter* suivis d'une proposition au subjonctif.

....

....

....

....

....

....

....

....

Les propositions subordonnées circonstancielles de temps

J'observe et je manipule

1 Autrefois, **quand il avait fait un bon instrument**, il permettait à ses amis de s'en servir, mais depuis quelque temps il n'en est plus ainsi. **Dès que Crespel a achevé un violon**, il en joue lui-même une heure ou deux [...] puis il l'accroche auprès des autres, sans jamais y toucher.

E. T. A. **Hoffmann**, « Le Violon de Crémone », *Contes fantastiques*, 1820.

a. Par quels mots les deux propositions subordonnées de temps en gras sont-elles introduites ?

1. _____   2. _____

b. Pour chacun de ces mots, choisissez un synonyme parmi ces propositions. Plusieurs réponses possibles.

aussitôt que   après que   chaque fois que   avant que

1. _____   2. _____

2 Surlignez les mots et expressions indiquant une notion de temps dans ces cinq phrases.

1. Quand tu recevras ma lettre, j'aurai quitté le pays.
2. Son livre terminé, il s'endormit.

3. Elle apprit la musique dès qu'elle fut en âge de lire.
4. Aussitôt que la nuit tomba, le vent se mit à souffler.
5. Tout s'est produit avant que tu arrives.

bilan Dans la phrase 2, la notion de temps est exprimée par :
○ un participe passé.   ○ un verbe à l'infinitif.

3 **a. Situez, sur l'axe chronologique, l'action exprimée par chaque verbe : écrivez en rouge la proposition principale, en bleu la proposition circonstancielle de temps.**

b. Indiquez au-dessus de la principale *antériorité*, *postériorité* ou *simultanéité* selon que l'action de la principale se situe *avant*, *après* ou *pendant* celle de la subordonnée.

Ex. : *Je me sentis mieux après qu'il fut arrivé.*

Postériorité →
après qu'il fut arrivé   je me sentis mieux

1. La nature renait dès que les beaux jours reviennent.

→

2. Les applaudissements commencent avant que le rideau s'ouvre.

→

Je retiens

1. La **proposition subordonnée circonstancielle de temps** dépend de la proposition principale. Elle peut être **conjonctive** ou **participiale**. Elle peut être **déplacée** ou **supprimée**.

2. Les mots subordonnants peuvent exprimer :
– l'**antériorité** *(avant que, jusqu'à ce que, en attendant que...)*
– la **postériorité** *(après que, depuis que, une fois que...)*
– la **simultanéité** *(pendant que, chaque fois que, tandis que, quand...)*

3. Le verbe peut être à l'**indicatif** (postériorité ou simultanéité) ou au **subjonctif** (antériorité).

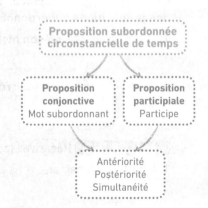

Mon exemple Rédigez une phrase contenant une proposition subordonnée circonstancielle de temps.

_____

Je reconnais les valeurs des propositions subordonnées circonstancielles de temps

4 a. * **Entourez les mots qui introduisent les propositions circonstancielles de temps.**

1. Une fois mon séjour terminé, je repartirai.

2. Il regardait la télévision quand on sonna.

3. Dès qu'elle entra, l'assemblée l'admira.

4. Je l'écoutais pendant qu'il jouait du piano.

b. ** **Surlignez le verbe des propositions principales.**

5 ** **Classez les actions dans le tableau.**

Ex. A : *Quand le vent souffle, la mer s'agite.*

Ex. B : *La route est fermée depuis qu'il a neigé.*

1. Le scandale éclata après que le film parut.

2. Il reprit des forces une fois que son traitement fut changé.

3. Comme il sortait, je le croisai.

4. Je me réjouis toutes les fois qu'il vient me voir.

5. Elle s'entrainera jusqu'à ce qu'elle y parvienne.

	Avant	En même temps	Après
Ex. A		*le vent souffle, la mer s'agite*	
Ex. B	*Il a neigé*		*la route est fermée*
1			
2			
3			
4			
5			

Je crée des propositions subordonnées circonstancielles de temps

6 ** **Transformez chaque paire de phrases en une phrase complexe contenant une proposition subordonnée circonstancielle de temps.**

1. Il prit son manteau. Il sortit.

....

2. Le réveil sonna. Il se réveilla.

....

3. Le vent souffle. La grêle tombe.

....

4. Elle se réjouit. Elle reçut la lettre.

....

7 ** **ORTHO** **Remplacez les groupes de mots en gras par une proposition circonstancielle de temps de même sens.**

1. Le train ne circule plus **à partir de minuit**.

....

2. **Une fois allongé**, je m'endormis.

....

3. Le festival n'aura pas lieu **avant le printemps**.

....

4. Je te raconterai tout **après son départ**.

....

Je modifie les relations temporelles

8 *** **Modifiez les relations d'antériorité en postériorité, et inversement.**

Ex : *Tout le monde rit avant qu'il ne parle.*
→ *Il parle après que tout le monde a ri.*

1. Une fois que l'orage est passé, le soleil se remet à briller.

....

....

2. Il se mit à crier avant que la sirène retentisse.

....

J'applique ce que j'ai appris pour écrire ☺

Faites des recherches sur une invention (le drone, l'hoverboard...). Vous présenterez les dates clés, les inventeurs, les principales étapes de la commercialisation de l'objet.

....

....

....

....

....

36 Les propositions subordonnées circonstancielles de cause et de conséquence

J'observe et je manipule

1 a. Reliez les propositions des deux listes :

1. J'ai du mal à le croire... •

2. Il ne peut pas se déplacer... •

3. Il fait si sombre... •

• **A.** ...du fait que son récit est incohérent.

• **B.** ...qu'on croirait la nuit.

• **C.** ...puisqu'il est occupé.

b. Soulignez les mots subordonnants.

bilan Que constatez-vous ?

....

....

2 a. Soulignez les propositions subordonnées circonstancielles de cause et de conséquence.

1. Il tremble parce qu'il a froid.

2. Elle reste chez elle sous prétexte qu'elle est souffrante.

3. C'est tellement beau que j'en ai les larmes aux yeux.

4. Je dois retourner au bureau étant donné que j'y ai laissé mes clefs.

b. Quelle proposition ne peut pas être déplacée ?

1. ○   **2.** ○   **3.** ○   **4.** ○

bilan Pour quelle raison ?

....

....

3

Dans la tragédie de Racine « Iphigénie », le roi Agamemnon est soucieux de gagner la guerre contre les Troyens si bien qu'il est prêt à sacrifier sa fille. Il agit ainsi puisqu'il se plie à la volonté des dieux. Parce qu'il veut la sauver, son fiancé Achille jure de la défendre de sorte qu'elle échappe à son destin funeste. Un coup de théâtre permet à Iphigénie d'être épargnée étant donné qu'une autre victime est tuée à sa place.

a. Surlignez les mots subordonnants qui se trouvent dans le texte.

b. Classez les mots que vous avez surlignés dans le tableau suivant.

Cause	Conséquence

Je retiens

1. La **cause** marque l'**origine d'un fait**. La **conséquence** marque son **résultat**. Ces deux notions sont indissociables et se suivent dans le temps.

2. La **proposition subordonnée circonstancielle de cause** peut être **déplacée**. C'est une conjonctive généralement à **l'indicatif** ou une participiale introduite par : *parce que, puisque, comme, étant donné que, au point que, si ... que, de telle sorte que...*

3. La **proposition subordonnée circonstancielle de conséquence** suit la proposition principale. C'est une conjonctive généralement à **l'indicatif** et introduite par : *de sorte que, si bien que, à tel point que, tellement que...*

Proposition subordonnée circonstancielle

de cause
• origine d'un fait
• déplaçable
• conjonctive ou participiale

de conséquence
• résultat d'un fait
• non déplaçable
• conjonctive

cause   conséquence

Mon exemple Rédigez une phrase contenant une subordonnée de cause ou de conséquence. Précisez votre choix.

....

J'identifie les propositions subordonnées circonstancielles de cause et de conséquence

4 a. * Mettez entre crochets les propositions subordonnées circonstancielles.

b. ** Entourez les mots subordonnants.

c. ** Soulignez en bleu les propositions circonstancielles de cause, en rouge les propositions circonstancielles de conséquence.

1. Il revient déçu de son concours d'ingénieur parce que le jury a estimé que son invention reposait sur un ancien concept de telle sorte qu'il n'a pas pu être choisi.

2. Comme il se penchait au-dessus de l'eau, Narcisse aperçut son reflet et il fut tellement troublé par la beauté de son visage qu'il plongea dans les profondeurs de la source.

5 * Ces propositions subordonnées expriment la conséquence. Vrai ou faux ?

1. Elle est si douée en sport qu'elle fait des compétitions.

○ vrai   ○ faux

2. Il pleut depuis que je suis revenu.

○ vrai   ○ faux

3. Le professeur donne des exemples de sorte que chacun comprenne.

○ vrai   ○ faux

4. Le professeur donne des exemples de sorte que chacun comprend.

○ vrai   ○ faux

Je crée des propositions subordonnées circonstancielles de cause et de conséquence

6 ** Retrouvez les liens logiques en remplaçant chaque point-virgule par un mot subordonnant de cause ou de conséquence.

Laisse-nous nos mœurs (;) .... elles sont plus sages et plus honnêtes que les tiennes (;) .... nous ne voulons pas troquer ce que tu appelles notre ignorance, contre tes inutiles lumières.

d'après **D. Diderot**, *Supplément au voyage de Bougainville*, 1772.

7 ** Transformez chaque paire de phrases en une phrase complexe, en respectant le lien logique indiqué entre parenthèses.

1. Nous sommes en retard. Le bus n'est pas passé à l'heure. *(cause)* ....

....

2. Il est resté longtemps sous la pluie. Il a de la fièvre. *(conséquence)* ....

....

3. Son jardin est magnifique. Il l'entretient avec passion. *(cause)* ....

....

Je m'entraine à la réécriture **BREVET**

8 *** Réécrivez chacune de vos phrases de l'exercice 7 en inversant la relation logique.

1. ....

....

2. ....

....

3. ....

....

J'applique ce que j'ai appris pour écrire ⊙

Vous êtes témoin d'actes de harcèlement à l'égard d'un-e camarade. Vous décidez d'en parler à un-e professeur-e : précisez les raisons qui vous poussent à témoigner et exprimez les conséquences possibles si vous gardiez le silence.

....

....

....

....

....

....

....

....

Avez-vous bien compris les leçons sur la phrase ?
Vérifiez en lisant cet extrait et en répondant aux questions d'un des trois groupes.

La peine de mort en question

Dans la préface de son roman, Victor Hugo imagine un dialogue qu'il aurait avec les partisans de la peine de mort :

Ceux qui jugent et qui condamnent disent la peine de mort nécessaire. D'abord, – parce qu'**il importe de retrancher de la communauté sociale un membre qui lui a déjà nui et qui**
5 **pourrait lui nuire encore**. – S'il ne s'agissait que de cela, la prison perpétuelle suffirait. À quoi bon la mort ? Vous objectez qu'on peut s'échapper d'une prison ? Faites mieux votre ronde. Si **vous ne croyez pas à la solidité des**
10 **barreaux de fer**, comment osez-vous avoir des ménageries[1] ?

Pas de bourreau où le geôlier suffit.

Mais, reprend-on, – il faut que la société se venge, que la société punisse. – Ni l'un, ni
15 l'autre. Se venger est de l'individu, punir est de Dieu. […]

Reste la troisième et dernière raison, la théorie de l'exemple. – Il faut faire des exemples ! il faut épouvanter par le spectacle du sort réservé
20 aux criminels ceux qui seraient tentés de les imiter ! […]

Eh bien ! nous nions d'abord <u>qu'il y ait exemple</u>. Nous nions que le spectacle des supplices produise l'effet qu'on en attend.

V. Hugo, *Le Dernier Jour d'un condamné*, Préface, 1832.

1. des zoos.

Groupe 1

Je repère

1. Soulignez :
– deux propositions coordonnées par *et*,
– deux propositions indépendantes juxtaposées,
– une proposition subordonnée introduite par *que*.

2. Surlignez les conjonctions de subordination qui introduisent les propositions en gras.

3. a. Quel est le mode utilisé dans la proposition subordonnée soulignée (l. 22-23) ?

b. Entourez le verbe de la proposition principale dont elle dépend.

Je manipule

4. Entourez la conjonction de subordination qui convient : « Il faut faire des exemples *parce que / pour que / si bien que* les crimes sont trop nombreux. »

5. « *Si vous ne croyez pas … ménageries ?* » (l. 9 à 11)
Quelle serait la conséquence si les barreaux n'étaient pas solides ? Répondez au moyen d'une phrase complexe.

J'écris

6. Recopiez et complétez ce texte en reformulant la pensée de l'auteur :

Victor Hugo pense que … pour trois raisons. Tout d'abord, il … parce que … . Ensuite, il … du fait que … . Enfin, il … étant donné que … .

Groupe 1, 2 ou 3 : *je rédige en respectant la consigne 6*

Groupe 2

Je repère

1. Soulignez dans le texte un exemple de :
– coordination,   – juxtaposition,   – subordination.

2. Surlignez en rouge une conjonction de subordination exprimant la cause et en vert une autre exprimant la condition.

3. a. « il faut que la société **se venge**, que la société punisse ». Quel est le mode des verbes en gras de cette phrase ?

b. Comment expliquez-vous le changement de mode verbal dans la même phrase ?

Je manipule

4. Complétez la phrase simple en utilisant une conjonction de subordination de cause :
« Il faut faire des exemples ! » (l. 18)

5. *« Si vous ne croyez pas … ménageries ? »* **(l. 9 à 11)**
Remplacez la conjonction « si » par une conjonction synonyme.

J'écris

6. Reformulez le point de vue de Victor Hugo en respectant les points suivants :
a. La condamnation à la peine capitale n'est pas nécessaire.
b. La peine de mort n'est pas un exemple.
c. L'individu se venge, non la société.

Groupe 3

Je repère

1. Soulignez trois phrases complexes de structure différente.

2. Surlignez dans le texte deux conjonctions de subordination exprimant chacune un rapport logique différent.

3. a. Recopiez une proposition subordonnée de la fin du texte comprenant un verbe au subjonctif. Attention, vous ne pouvez pas recopier la proposition qui est soulignée dans le texte.

b. Comment expliquez-vous l'emploi du subjonctif ?

Je manipule

4. Complétez une phrase simple du premier paragraphe (l. 1 à 11) de manière à en faire une phrase complexe.

5. *« Si vous ne croyez pas … ménageries ? »* **(l. 9 à 11)**
Remplacez la conjonction « si » par une conjonction synonyme.

J'écris

6. Rédigez un paragraphe dans lequel vous reformulerez la thèse de Victor Hugo et les différents arguments grâce auxquels il défend son opinion. Vous utiliserez quatre ou cinq phrases complexes de structures différentes.

Compétences évaluées ☺☺☹	
J'évalue mes acquis en complétant chaque smiley.	
1. J'ai distingué coordination, juxtaposition, subordination.	☺
2. J'ai identifié les modes verbaux.	☺
3. J'ai su choisir et utiliser les conjonctions de subordination.	☺
4. J'ai su reformuler des arguments au moyen de phrases complexes.	☺

- Dans cette double page, vous allez **réviser** ce que vous avez déjà appris pour vous **préparer** aux leçons qui vont suivre.
- **Lorsque vous en avez besoin**, vous pouvez consulter la *Boîte à outils* et cocher au fur et à mesure les outils que vous avez utilisés.

Jeanne regardait en bas, sur le quai et sur les pentes du Trocadéro, la vie des rues recommencer, après cette rude pluie, qui tombait par brusques averses. […] Des parapluies se fermaient, des passants abrités sous les arbres se hasardaient d'un trottoir à l'autre, au milieu du ruissellement des flaques coulant aux ruisseaux. **Elle** s'intéressait surtout à une dame et à une petite fille très bien mises, qu'**elle** voyait debout sous la tente d'une marchande de jouets, près du pont. Sans doute, elles s'étaient réfugiées là, surprises par la pluie.

É. **Zola**, *Une page d'amour*, 1878.

Ce que je peux savoir **avant** de lire l'extrait

a. Cet extrait est un :
○ récit.   ○ dialogue.

Boîte à outils 1

b. Observez les mots en gras. À quelle personne grammaticale le texte est-il écrit ?

Je vérifie ma compréhension de l'extrait

c. Qu'est-ce qui est décrit dans le texte ?
Plusieurs réponses sont possibles.
○ Jeanne
○ les passants
○ les rues de Paris
○ la marchande de jouets

d. Qui est le personnage principal ?

1 Je sais repérer le contexte précis d'une situation d'énonciation

a. À quels personnages du texte attribuez-vous ces paroles au discours direct ?
1. « Elles ont dû se laisser surprendre par la pluie. » :
2. « Maman, la pluie a cessé. » :
3. « Faites attention où vous mettez les pieds en traversant ! » :
4. « Regarde cette poupée. N'est-elle pas jolie ? » :

b. Pour chacune des paroles de l'exercice précédent, constituez une phrase permettant de définir la situation d'énonciation en reliant les étiquettes suivantes.
Par exemple :

Boîte à outils 2

Compétences réactivées

Dans cet atelier, je vérifie que je sais :

✓ Repérer le contexte précis d'une situation d'énonciation
✓ Repérer et utiliser des indicateurs qui organisent un récit
✓ Identifier le point de vue choisi pour décrire

2   Je sais repérer et utiliser des indicateurs qui organisent un récit

a. Soulignez en rouge tous les indices de lieu présents dans le texte.

b. Soulignez en noir l'unique indice de temps du texte.

c. Dans la phrase suivante, remplacez les mots en gras par des synonymes :

*Au moment de l'averse, Jeanne, **depuis** sa fenêtre, s'intéressa aux promeneurs.*

....

d. Résumez en une phrase l'une des actions du texte. Vous emploierez un indice de lieu et un indice de temps.

....

Boîte à outils **3**

3   Je sais identifier le point de vue choisi pour décrire

a. Qui observe les rues de Paris ?

○ une dame   ○ les passants   ○ Jeanne   ○ la petite fille

b. Quels verbes vous ont permis de répondre ?

....

Boîte à outils **4**

c. Jeanne se trouve dans :   ○ un appartement au rez-de-chaussée.   ○ un appartement à l'étage.

d. La ville est décrite du point de vue :   ○ du narrateur.   ○ de Jeanne.

e. Donnez le plus de synonymes possible à l'expression encadrée dans le texte.

....

f. Quelle est l'utilité de cette expression ?

....

....

Boîte à outils **5**

➡ *Boîte à outils* ⬅

○ **1** Dans un récit, le narrateur raconte une histoire réelle ou imaginaire. Dans un dialogue, le narrateur insère les paroles de ses personnages entre guillemets ou à l'aide de tirets.

○ **2** Pour définir une situation d'énonciation, il faut répondre aux questions : Qui parle ? À qui ? Où ? Quand ?

○ **3** Un récit s'organise en fonction du cadre spatio-temporel que le lecteur identifie en se posant les questions *Où ?* et *Quand ?*

○ **4** Dans un récit, le point de vue se détermine en fonction de celui qui observe la scène. Pour le connaitre, il faut être attentif-ve aux verbes de perception et à leur sujet.

○ **5** Selon le point de vue choisi, l'histoire montre l'action sous différents angles. Avec le point de vue interne, le lecteur pénètre dans la conscience du personnage qui observe.

J'observe et je manipule

1 Or, **une nuit**, on lui vola une douzaine d'oignons. **Dès que** Rose s'aperçut du larcin, elle courut prévenir Madame, qui descendit en jupe de laine. Ce fut une désolation et une terreur. On avait volé, volé Mme Lefèvre ! Donc on volait **dans le pays**, **puis** on pouvait revenir.

G. de Maupassant, *Pierrot*, 1882.

a. Quelles précisions les mots en gras dans le texte apportent-ils ? Attention, plusieurs réponses sont possibles.

○ temps   ○ manière   ○ action   ○ lieu

b. Remplacez les mots en gras par des expressions de votre choix sans changer le sens du texte.

....

....

bilan Procédez à présent à une relecture du texte en supprimant les mots en gras. Que remarquez-vous ?

....

....

2 Il s'était endormi. On frappa à la porte. Le tonnerre gronda. Il fut pris de panique. Il se mit à trembler. Il courut se cacher à l'étage. Il y resta dissimulé.

Il manque à ce texte des précisions temporelles. Réécrivez-le en ajoutant ces précisions grâce aux mots ou expressions suivants :

depuis une heure • soudain • puis • toute la nuit • au même moment • sur-le-champ.

....

....

....

bilan Quelle version préférez-vous ? Pour quelles raisons ? ....

....

3 Soulignez les repères temporels.

1. D'abord, elle vise, puis elle tend son arc.
2. Il essayera jusqu'à ce qu'il y parvienne.
3. Le film va commencer dans quelques instants.
4. Regarde, il est ici !

bilan Classez les mots soulignés dans le tableau.

Groupe prépositionnel	Adverbe	Locution adverbiale	Conjonction de subordination

Je retiens

1. Les **repères temporels** précisent la **chronologie des actions** : *d'abord, pendant, souvent, tout à coup...*
2. Les **repères spatiaux** situent les éléments dans l'espace : *ici, à droite, devant, sur...*
3. Les repères spatio-temporels interviennent dans les **récits** et les **descriptions** pour donner l'**illusion de réel**.
4. Les **repères spatio-temporels** peuvent être des **conjonctions de coordination** ou **de subordination**, des **adverbes**, des **GN** ou des **groupes prépositionnels**.

Repère

Temporel	Spatial
• Succession	• Éloignement/proximité
• Simultanéité	• Orientation
• Fréquence	• Superposition/alignement
• Soudaineté	• Inclusion/exclusion
• Rythme	• Rang

Mes exemples Écrivez un repère de temps (1) et un repère de lieu (2).

1. ....   2. ....

Je m'exerce

Je distingue les repères spatiaux des repères temporels

4 **a.** * **Soulignez les repères spatio-temporels.**

1. La porte de gauche mène dehors. _____

2. Il grandit un peu plus chaque jour. _____

3. Il fait soudain si froid ! _____

b. ** **Précisez pour chaque phrase si les mots que vous avez soulignés sont des repères spatiaux (S) ou temporels (T).**

5 * **Cochez les phrases contenant un repère spatio-temporel.**

1. Mon bureau donne sur le jardin. ○

2. La pluie ne cesse de tomber. ○

3. Je suis admis jusqu'à nouvel ordre. ○

4. Sa chambre jouxte la mienne. ○

5. Tu dois suivre ce chemin. ○

Je comprends la valeur des indices spatio-temporels

6 ** **Reliez chaque expression de la colonne de gauche à la valeur qui lui revient.**

1. au sein de •   • rythme

2. à gauche •   • inclusion

3. tous les jours •   • superposition

4. au-dessus de •   • fréquence

5. promptement •   • orientation

7 ** **Utilisez trois indices spatiaux de l'exercice 6 dans trois phrases de votre choix.**

_____

_____

_____

8 * **ORTHO** **Dans chaque phrase, remplacez** *dans* **par un mot ou une expression plus précis(e).**

1. Il s'est enfermé dans (_____) sa chambre.

2. Le chat est recroquevillé dans (_____) sa couverture.

3. Elle court dans (_____) la rue.

4. Il tient fermement la pièce dans (_____) sa main.

9 ** **ORTHO** **Dans chaque phrase, remplacez** *et* **par un mot ou une expression plus précis(e).**

1. Elle saisit son sac et (_____) elle sort précipitamment.

2. Tu m'as téléphoné et (_____) me voici !

3. Préchauffez votre four et (_____) lavez-vous les mains et (_____) préparez les ingrédients.

4. Il se leva et (_____) il demanda la parole.

J'organise un texte par des indications spatio-temporelles

10 *** **Ajoutez des repères temporels et spatiaux au texte parmi ceux qui vous sont proposés :** *à Paris • chaque fois • dans • après • quelques années • jamais • puis.*

_____ avoir exercé _____ une étude de notaire, Balzac décida de créer _____ une petite imprimerie. Il fit faillite _____ consacra le reste de sa vie à écrire pour rembourser ses dettes.

L'écrivain n'était _____ satisfait de ses textes. _____ que son éditeur imprimait ses romans, Balzac les corrigeait à nouveau.

J'applique ce que j'ai appris pour écrire ☺

Décrivez en quelques lignes une scène de rue en utilisant les mots ou expressions suivants :

sur • au milieu • en même temps • toujours • au bout de • ensuite • de l'autre côté • quelques instants.

_____

_____

_____

_____

_____

_____

_____

Les connecteurs logiques

J'observe et je manipule

1 a. Quel type d'indication les mots en gras dans le texte apportent-ils ?

○ lieu   ○ lien logique   ○ manière   ○ temps

b. Associez chaque mot à la valeur qui lui correspond. Attention, plusieurs réponses sont possibles.

et •
car •
ou •
pour •
mais •

• alternative
• addition
• cause
• but
• conséquence
• opposition

> On est arrivés ce matin **et** on n'a pas été bien reçus, **car** il n'y avait personne sur la plage que des tas de types morts **ou** des tas de morceaux de types, de tanks **et** de camions démolis. Il venait des balles d'un peu partout **et** je n'aime pas ce désordre **pour** le plaisir. On a sauté dans l'eau, **mais** elle était plus profonde qu'elle n'en avait l'air **et** j'ai glissé sur une boîte de conserves.
>
> **B. Vian**, *Les Fourmis*, 1949.

bilan Relisez à présent le texte en supprimant les mots en gras. Que remarquez-vous ?

....

....

2 Il manque à ce texte des repères logiques. Ajoutez-les en utilisant les mots ou expressions suivants :
tellement ... qu' • *mais* • *car* • *et.*

Il venait de s'endormir .... il fut réveillé par un bruit étrange. Il fut .... surpris .... il sursauta .... il se mit à trembler. Il courut se cacher à l'étage .... il pressentait un danger.

bilan Quelle version préférez-vous ? Pour quelles raisons ?

....

....

3 Soulignez uniquement les connecteurs logiques. Attention, certaines phrases n'en contiennent pas.

1. Il a encore de la fièvre. (....)

2. Il a une piscine dans son jardin. Aussi, se baigne-t-il souvent. (....)

3. Tout le monde l'apprécie. En effet, il est attentionné. (....)

4. Je lis tous les soirs. (....)

5. D'une part, j'aime voyager, d'autre part, j'ai des amis dans ce pays. (....)

bilan Précisez entre parenthèses la classe grammaticale des connecteurs logiques soulignés.

Je retiens

1. Les **connecteurs logiques** indiquent **la relation logique qui unit deux actions** : cause, conséquence, addition, opposition, but, gradation, condition, concession.

2. Ils permettent de **créer un lien** entre plusieurs éléments du texte : *en effet, donc, en outre, mais, pour, tout d'abord, en admettant que, bien que...*

3. Les connecteurs logiques interviennent dans les **récits** et les **discours** pour structurer un texte en plusieurs étapes. Dans les **discours explicatifs et argumentatifs**, ils sont utiles pour **éclairer** et **convaincre** l'auditoire.

Connecteur
↓
Logique
- Cause
- Conséquence
- Addition
- Gradation
- Opposition
- Concession
- But
- Condition

Mes exemples Écrivez un connecteur de cause, un connecteur de conséquence et un connecteur d'opposition.

1. ....   **2.** ....   **3.** ....

Je m'exerce

Je reconnais les connecteurs logiques

4 * **Soulignez les connecteurs logiques.**

1. Sa voiture est belle mais elle est chère.

2. Il a commis une faute, il sera donc puni.

3. Je suis triste, néanmoins je lui ai pardonné.

4. Nous sommes privés de sortie car il a menti.

5. Je lui parle doucement afin qu'il se calme.

6. Soit il s'est perdu, soit il a oublié le rendez-vous.

Je comprends la valeur des connecteurs logiques

5 * **Classez ci-dessous les mots soulignés dans l'exercice 4 en fonction de leur valeur.**

Opposition	Cause	Conséquence	Alternative	But

6 ** **Remplacez chaque connecteur en gras par un connecteur logique de même sens.**

1. C'est l'été, **toutefois** il fait très froid. _____

2. Il va venir **afin** de faire ta connaissance. _____

3. **Comme** il s'approche, le chien aboie. _____

4. Il lui avoua son amour. **Alors**, elle sourit. _____

5. Tu peux voter. **En effet**, tu es majeur. _____

J'enrichis un texte par des connecteurs logiques

7 * **ORTHO** **Dans chaque phrase, remplacez** *et* **par un mot ou une expression plus précis(e).**

1. Il n'est pas assez prudent et (_____) il se blesse.

2. Je pensais ne pas aimer son dessert et (_____) je me suis régalé.

3. Thibaut aime manger sucré et (_____) Marion aime manger salé.

4. Elle aime les roses, les marguerites et (_____) les tulipes.

Je m'entraine à la réécriture

8 ** **ORTHO** **Rétablissez, entre chaque phrase, le connecteur logique correspondant à l'indication donnée entre parenthèses.**
Attention, le mode verbal peut changer.

1. Il est généreux. Tout le monde abuse de sa bonté. *(conséquence)* _____

_____

2. Cet édifice est plus que centenaire. Il a résisté aux deux guerres mondiales. *(concession)*

_____

_____

3. L'orage menace. Il vaut mieux renoncer à notre randonnée. *(cause)*

_____

_____

J'applique ce que j'ai appris pour écrire ☺

Rédigez une réponse à la question suivante
« L'accès à internet facilite-t-il l'accès à la connaissance ? » en suivant les étapes de raisonnement proposées ci-dessous :

Je pense que... • *En effet, ...* • *Cependant, ...* • *C'est pourquoi...*

_____

_____

_____

_____

_____

_____

_____

39 La situation d'énonciation

J'observe et je manipule

1 **Cochez les bonnes réponses après avoir lu le texte.**

16 mai. – Je suis malade, décidément ! Je me portais si bien le mois dernier ! J'ai la fièvre, une fièvre atroce, ou plutôt un énervement fié-
5 vreux, qui rend mon âme aussi souffrante que mon corps ! J'ai sans cesse cette sensation affreuse d'un danger menaçant, cette appréhension d'un malheur qui vient ou de la mort qui
10 approche, ce pressentiment qui est sans doute l'atteinte d'un mal encore inconnu, germant dans le sang et dans la chair.

G. de Maupassant,
Le Horla, 1887.

○ Le locuteur utilise la première personne du singulier.
○ Le destinataire est clairement identifiable.
○ Le locuteur se parle à lui-même.
○ Le moment de l'énonciation est le 16 mai.
○ Le moment de l'énonciation est le mois dernier.
○ Le texte est un extrait de dialogue.
○ Le contenu de l'énoncé évoque l'état de santé du locuteur.

bilan **Résumez en une seule phrase ce que vous connaissez de la situation d'énonciation de cet extrait en répondant aux questions : Qui parle ? À qui ? Où ? Quand ?**

....

....

2 **Lisez ces phrases et complétez le tableau.**

1. C'est certainement mon chat, je reconnais ce miaulement.
2. Je t'appelle demain.
3. Le 18 juin 1815 eut lieu la bataille de Waterloo.
4. Rendez-vous chez toi dans deux heures.

	Qui fait ou subit l'action ?	Où ?	Quand ?
1			
2			
3			
4			

bilan **Quels mots du tableau ne vous apportent pas une information précise ?**

....

....

Je retiens

1. Le **contexte** dans lequel est produit un énoncé, écrit ou oral, permet de définir la **situation de communication, d'énonciation**.

2. Celui qui parle, le **locuteur**, s'adresse à un **destinataire**. Il produit un **énoncé** à un **moment** et dans un **lieu** précis.

3. Il faut être attentif-ve à certains indices pour identifier la situation : les marques des **1ʳᵉ et 2ᵉ personnes** (*je, nous, tu, vous*) les **indicateurs de temps** (*aujourd'hui, hier, demain*) et **de lieu** (*ici, là-bas*), les **démonstratifs** qui n'ont de sens que par rapport à la situation des interlocuteurs (*ce, cette, celui-ci...*).

Mon exemple Rédigez une phrase décrivant une situation d'énonciation précise.

...., la professeure ....

J'identifie les indices d'énonciation

3 * **Soulignez tous les indices d'énonciation dans ces quatre phrases.**

1. Je suis arrivée il y a quelques jours.

2. N'oublie pas de fermer cette fenêtre avant la nuit.

3. Tu ne peux pas arriver demain !

4. Ce matin, à 10 h 00, j'ai reçu une lettre étrange.

4 ** **Lisez cette lettre et complétez le tableau.**

À Madame de Grignan,
À Livry, ce mardi saint 24ᵉ mars 1671.
Il y a trois heures que je suis ici, ma pauvre bonne.
Je suis partie de Paris avec l'abbé, Hélène, Hébert
et Marphise dans le dessein de me retirer ici du
monde et du bruit jusqu'à jeudi au soir.

Madame de Sévigné, *Lettres*, 1671.

Qui parle ?	
À qui ?	
Quand ?	
Où ?	

Je comprends une situation d'énonciation

5 * **Cochez Vrai ou Faux.**

Bordeaux, le 29 mars 2017.
Ma chère maman, je t'écris depuis ce grand parc
où nous aimions tant nous promener le mois dernier. Dans dix jours, je quitterai le collège et nous
serons enfin réunies.

1. Le lieu est précis pour
les lecteurs. ○ Vrai ○ Faux

2. Le lieu est précis pour
les interlocuteurs. ○ Vrai ○ Faux

3. Le moment de l'énonciation
est le 29 mars 2017. ○ Vrai ○ Faux

4. Le locuteur est un garçon. ○ Vrai ○ Faux

6 *** **Lisez attentivement l'extrait et son paratexte, puis complétez le tableau.**

*La marquise de Merteuil envoie à son ami le
Vicomte de Valmont ce modèle de lettre de rupture.
Il décidera de l'envoyer lui-même le 27 novembre à
sa maitresse, la Présidente de Tourvel.*

On s'ennuie de tout, mon Ange, c'est une loi de la
Nature ; ce n'est pas ma faute.
Si donc je m'ennuie aujourd'hui d'une aventure
qui m'a occupé entièrement depuis quatre mor-
tels mois, ce n'est pas ma faute.
Du château de…, ce 24 novembre 17★★.

C. de Laclos, *Les Liaisons dangereuses*,
Lettre 141, 1782.

L'expéditeur est :	Le destinataire est :	La première personne désigne :	La deuxième personne désigne :
Dans la lettre écrite le 24 novembre			
		Un amant inconnu	Une femme inconnue
Dans la lettre qui sera écrite le 27 novembre			

Je modifie une situation d'énonciation

7 *** **ORTHO** **Réécrivez ce texte au
présent d'énonciation et à la 1ʳᵉ personne
du singulier.**

*Dès qu'il arriva chez lui, il s'installa à son bu-
reau et il prit sa plume. Il voulait lui envoyer
sa lettre le jour-même afin qu'elle la reçoive
le lendemain.*

....

....

....

....

J'applique ce que j'ai appris pour écrire ☺

Le 17 mars 1671, Madame de Sévigné annonce
à sa fille, Madame de Grignan, son départ de Paris
pour Livry. Écrivez sa lettre en vous inspirant
de celle de l'exercice 4.

....

....

....

....

....

....

40 Les reprises pronominales

Dans cette leçon, je vais apprendre à :
✔ Repérer les reprises pronominales
✔ Identifier la classe grammaticale des pronoms
✔ Améliorer mon expression en utilisant les pronoms

J'observe et je manipule

1 Le vieux soldat était sec et maigre. Son front, volontairement caché sous les cheveux de sa perruque lisse, **lui** donnait quelque chose de mystérieux. [...] Les bords du chapeau qui couvrait le front du vieillard projetaient un sillon noir sur le haut du visage.

H. de Balzac, *Le Colonel Chabert*, 1844.

a. Soulignez le mot de la dernière phrase qui reprend le groupe de mots déjà souligné.

b. Entourez les pronoms qui pourraient remplacer les mots soulignés dans le texte : *il • lui • celui-ci • le • le sien.*

c. Remplacez le pronom en gras par un groupe nominal de votre choix.

bilan Complétez la règle.

Un pronom est du même genre et du même nombre que ....

2 Classez les mots en gras dans le tableau.

1. Je viendrai manger avec **toi** à midi.
2. Celles-ci sont les fleurs les plus belles.

3. Il nous a proposé de passer.
4. Préfères-**tu** ta maison ou **la leur** ?

Pronoms personnels	Pronoms démonstratifs	Pronoms possessifs

3 Construisez un maximum de phrases correctes avec les étiquettes ci-dessous. **Vous n'êtes pas obligé-e de toutes les utiliser à chaque fois.**

| il | tu | le | reprennes | avant que | lui | te | le | rend |

....

....

bilan Qu'en déduisez-vous sur la place des pronoms dans une phrase ?

....

....

Je retiens

1. On appelle **reprises pronominales** les **pronoms** utilisés **à la place d'un nom** ou d'un **GN** pour **éviter la répétition**. Ils peuvent aussi parfois **remplacer un adjectif**, une **proposition**, un **groupe infinitif** ou un **autre pronom**.

2. Le pronom **est de même genre et même nombre que le nom qu'il remplace**, à l'**exception** des pronoms adverbiaux **en** et **y**.

3. Les pronoms peuvent être **personnels**, **démonstratifs** ou **possessifs** et avoir les **mêmes fonctions que le nom** (sujet, complément du verbe direct ou indirect...).

Pronom
mis à la place
d'un nom ou GN

Personnel
elle, vous, me,
leur, eux, lui...

Démonstratif
celui-ci, celle-là,
ceux-ci, celles-là...

Possessif
le mien,
la vôtre, le leur,
les siennes...

Mon exemple Complétez la phrase suivante en utilisant les pronoms de votre choix.

Nous avons acheté le cadeau de notre frère puis ....

Je m'exerce

Je sais identifier les pronoms dans un texte

4 * Soulignez les pronoms. Entourez le GN auquel renvoie chaque pronom complément.
1. J'allume la radio et je l'écoute.
2. Il m'a prêté son livre mais je l'ai perdu.
3. Écris ta lettre et pense à la poster.

4. Son vélo est celui-ci.
5. Des enfants, ils en accueillent volontiers.
6. Tu n'as pas pris de pull, essaie le mien.

5 ** Complétez ce texte avec les pronoms proposés. *la • elles • les • lui • elles • on*

.... s'effrayaient pourtant, ... reculèrent près de Mme Hennebeau, qui s'était appuyée sur une auge. L'idée qu'il suffisait d'un regard, entre les planches de cette porte disjointe, pour qu' .... massacrât, ... glaçait. Négrel se sentait blêmir, ... aussi, très brave d'ordinaire.

D'après **É. Zola**, *Germinal*, 1885.

6 ** Dans les phrases suivantes, qui est désigné par le pronom « *nous* » ? Répondez en reliant les phrases aux propositions de la colonne de droite. Plusieurs réponses sont parfois possibles.
1. Nous sommes les deux meilleurs amis du monde. •

2. Nous irons tous en parler à nos professeurs. •

3. Nous sommes mariés depuis un an. •

• vous et moi

• elle et moi

• toi et moi

Je sais utiliser les pronoms

7 * Rédigez chaque réponse selon l'exemple proposé. *Ex. : Aimes-tu les fruits ? → Oui, je les aime.*

1. Les élèves ont-ils reçu leur premier bulletin ? ....

2. Combien de fruits et légumes devons-nous manger chaque jour ? ....

3. Restes-tu à la cantine ce midi ? ....

8 ** Rédigez la réponse à chaque question en utilisant des pronoms possessifs.
Ex. : Ce stylo est-il à Enza ? → Oui, c'est le sien.
1. S'agit-il de ton bulletin ? ....
2. Ces lettres sont-elles pour nous ?
....
3. Ces vélos leur appartiennent-ils ?
....

9 *** Les mots sont mélangés dans ces phrases. Réécrivez-les dans le bon ordre.
1. Donne-moi-le. ....
2. Donne un m'en. ....
3. Le me lira-t-il ? ....
4. Ne me dis le pas. ....
5. Reprends-lui-le ! ....

Je m'entraine à la réécriture **BREVET**

10 ** Réécrivez le texte en inversant les pronoms *elle* et *il*. Veillez à la cohérence du texte.

Elle s'approcha un peu timide, un peu inquiète, et lui tendit la main. Il la reçut dans la sienne et la garda. Alors il sentit l'appel discret de ses doigts de femme.

Guy de Maupassant, *Bel-Ami*, 1885.

J'applique ce que j'ai appris pour écrire ☺

Rédigez la biographie de Victor Hugo en utilisant les reprises pronominales.

Vous présenterez l'auteur, son œuvre et l'influence politique qu'il a exercée sur son époque.

Les paroles rapportées (1) : reconnaitre les discours direct et indirect

Connaissances et compétences visées

Dans cette leçon, je vais apprendre à :
✔ Repérer les indices du discours
✔ Distinguer le discours direct et le discours indirect

J'observe et je manipule

1 a. Soulignez tous les mots permettant de repérer qu'il y a un échange de paroles.

1. – Non, je refuse, répondit-il.

2. Il me demanda : « Quel âge as-tu ? »

3. Le jeune garçon avoua qu'il avait peur.

4. « Flora, lança-t-il, peux-tu m'aider ? »

5. Elle répondit que ce n'était pas le moment.

6. – Bonsoir, Monsieur. Ravi de vous rencontrer !

7. Il avoua qu'il était vaincu.

8. « Non, c'est non ! »

b. Entourez les signes de ponctuation qui prouvent la prise de parole.

bilan Dans quelles phrases les personnages semblent-ils parler directement ? Pourquoi ?

....

....

2 a. Observez attentivement les phrases suivantes.

1. « Bravo, ta rédaction est excellente ! »

2. Le professeur indiqua à l'élève que sa rédaction était excellente.

b. Complétez le tableau suivant avec des croix selon ce que vous avez pu observer.

	Phrase 1	Phrase 2
Présence d'un verbe d'expression		
Présence d'un signe de ponctuation qui ouvre le discours		
Emploi du présent de l'indicatif		
Emploi du passé simple		
Présence des 1re et/ou 2e personnes		
Présence de la 3e personne		

bilan Qu'en déduisez-vous du type de discours utilisé ? Employez les termes **direct et** indirect.

Phrase 1 : ....

Phrase 2 : ....

 ## Je retiens

1. Les **paroles d'un personnage** peuvent être rapportées au **discours direct** ou au **discours indirect**.

2. Le **discours direct** permet d'**insérer directement les paroles exprimées**. Elles sont rapportées avec exactitude et se détachent du récit. On repère le discours direct aux **guillemets** ou **tirets** et aux **verbes de parole**.

3. Le **discours indirect** intègre les paroles dans un récit en les **reformulant**. On repère le discours indirect **aux verbes de parole** suivis d'une **proposition subordonnée**.

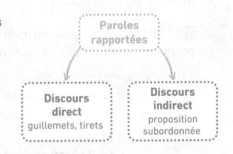

Mes exemples Écrivez deux phrases à partir du même verbe de parole, l'une au discours direct (1), l'autre au discours indirect (2).

1. ....

2. ....

Je m'exerce

Je sais repérer les indices du discours

3 * **Repérez les indices de paroles rapportées et classez-les dans le tableau suivant.**

1. Je me suis dit que j'y arriverais toujours.

2. « Quels sont tes projets pour demain ? »

3. Il me réprimanda : « Cesseras-tu tes bêtises ! »

4. Il se demande ce que son père va lui offrir.

5. « Tu as eu faim ?
– Oui, j'étais même affamé ! », rétorquai-je.

Ponctuation	Verbes	Pronoms	Temps verbaux

4 ** **Dans cet extrait, soulignez les paroles rapportées au discours indirect.**

Ils parlèrent d'eux, de leurs habitudes, de leurs goûts, sur ce ton plus bas, intime, dont on fait les confidences. Il avoua qu'il était déjà dégoûté du monde et las de sa vie futile. Il ajouta qu'on n'y rencontrait rien de vrai, rien de sincère. Le monde ! Elle aurait bien voulu le connaître ! Mais elle ajouta d'avance qu'il ne valait pas la campagne.

G. de Maupassant, *Une vie*, 1883.

5 ** **Indiquez si ces phrases contiennent des paroles rapportées au discours direct ou indirect.**

1. – Que fais-tu ? lui demanda-t-il épouvanté.   ○ direct   ○ indirect

2. Il cria : « Bonsoir, au plaisir ! »   ○ direct   ○ indirect

3. Je leur demandai ce qu'ils redoutaient le plus.   ○ direct   ○ indirect

4. Elle annonça qu'elle était prête.   ○ direct   ○ indirect

6 *** **ORTHO** **Repérez pour chacune des phrases les éléments manquants et réécrivez-les correctement.**

1. Je demandai « Est-ce que j'ai un message ». _____

2. Comment est-ce possible. _____

3. Il me répondit il n'aimait pas l'hiver. _____

4. Elle lui quel était le message. _____

Je sais distinguer le discours direct et le discours indirect

7 **a.** * **Soulignez les verbes de parole. Entourez les signes de ponctuation propres au discours direct.**

b. ** **Reliez les deux listes d'après vos observations précédentes.**

1. « Qui t'a permis • de rentrer ? », hurla-t-il.

2. Il m'assura que j'étais • le bienvenu.

3. « Tu dois te concentrer », • sermonna-t-elle.

4. Je conclus : « C'est • la vérité. »

5. On lui a indiqué • qu'il la trouverait au parc.

• discours direct

• discours indirect

> **J'applique ce que j'ai appris pour écrire** ☺
>
> Rédigez une phrase au discours direct et une phrase au discours indirect avec chaque verbe : *répartir • suggérer.*

Les paroles rapportées (2) : employer les discours direct et indirect

J'observe et je manipule

1 L'Avare vient de se faire voler le trésor qu'il avait caché sous terre.

Voilà mon homme aux pleurs ; il gémit, il soupire.
    Il se tourmente, il se déchire.
Un passant lui demande à quel sujet ses cris.
    « C'est mon trésor que l'on m'a pris.
– Votre trésor ? où pris ? – Tout joignant[1] cette pierre.
– Eh sommes-nous en temps de guerre,
Pour l'apporter si loin ? N'eussiez-vous pas mieux fait
De le laisser chez vous en votre cabinet […] ?
[…] – Je n'y touchais jamais. – Dites-moi donc, de
                                    [grâce,
Reprit l'autre, pourquoi vous vous affligez tant,
Puisque vous ne touchiez jamais à cet argent :
    Mettez une pierre à la place,
    Elle vous vaudra tout autant. »

J. de La Fontaine,
« L'Avare qui a perdu son trésor », *Fables*, 1668.
1. Tout proche de.

a. Soulignez en rouge les paroles rapportées de l'Avare.

b. Soulignez en noir les paroles rapportées du passant.

c. Reformulez le vers 4 en commençant ainsi : *L'Avare assure que* ....

....

d. Reformulez le vers 3 en complétant cette phrase : *Le passant demande :*

« .... ».

bilan Quelles informations perd-on si l'on supprime les paroles rapportées dans la fable ?

....
....
....

2 a. Associez les paroles rapportées aux discours direct et indirect aux images correspondantes.

1   2   3   4

• « C'est par là.
– En es-tu certain ? » ....
• « Quelle chance ! Je suis très heureux ! » ....
• Il se mit à hurler qu'il était dans son droit. ....

b. Rédigez au discours indirect les paroles rapportées correspondant à l'image que vous n'avez pas reliée.

....

bilan Selon vous, quel est l'intérêt de rapporter les paroles d'un personnage ? ....

....

Je retiens

1. Le discours rapporté permet d'**insérer des paroles de façon directe** ou **indirecte** à l'intérieur d'un récit. Il rend le **récit dynamique** et les **personnages plus vivants.**

2. Le discours rapporté se rencontre essentiellement dans les **romans** et les **nouvelles** pour produire un **effet de réel.**

3. Dans un **témoignage oral**, il permet de vérifier l'**exactitude d'un évènement raconté.**

4. Les **interrogations indirectes** permettent de **rapporter des questions dans un récit.** La phrase ne contient alors **ni inversion du sujet, ni point d'interrogation.**

Discours rapporté
direct ou indirect
→ rendre vrai → témoigner → raconter → rapporter des questions

Mon exemple Rédigez une phrase de votre choix au discours indirect.

....

Je sais employer le discours direct et le discours indirect

3 * **Réécrivez ces phrases au discours direct.**

1. Ta mère m'a expliqué que tu dormais encore.

....

2. Il m'a indiqué qu'il viendrait le lendemain

....

3. Elle déclara qu'on lui avait menti.

....

4. Il lui murmura qu'il tenait à elle.

....

4 ** **ORTHO** Réécrivez ces phrases en tenant compte des modifications proposées.**

1. Il prétendait qu'il n'avait plus d'argent.
→ *Je prétends* ....

2. Elle annonça qu'elle allait se marier.
→ *Tu annonces* ....

3. Tu viens de me dire que tu ne comprenais pas.
→ *Vous venez* ....

4. Il exige qu'il lui rende son argent.
→ *Tu exiges* ....

Je sais rapporter des paroles dans un récit

5 a. ** **Transformez le discours direct en discours indirect.**

On se mit à table. Dès le potage, Camille crut devoir s'occuper de son ami.
– Comment va ton père ? lui demanda-t-il.
– Mais je ne sais pas, répondit Laurent. Nous sommes brouillés ; il y a cinq ans que nous ne nous écrivons plus.

        É. Zola, *Thérèse Raquin*, 1867.

....
....
....
....
....
....

b. ** **Pourquoi Zola a-t-il choisi le discours direct ?**

J'insère du discours direct dans un récit

6 *** **Réécrivez ce dialogue de théâtre en l'insérant dans un récit au passé. Vous vous inspirerez des didascalies pour nourrir votre récit.**

Horace (*mettant la main à l'épée, et poursuivant sa sœur qui s'enfuit*).
C'est trop, ma patience à la raison fait place ;
Va dedans les enfers plaindre ton Curiace !
Camille (*blessée derrière le théâtre*).
Ah ! traître !
Horace (*revenant sur le théâtre*).
       Ainsi reçoive un châtiment soudain
Quiconque ose pleurer un ennemi romain !

        P. Corneille, *Horace*, 1640.

....
....
....
....
....
....

J'applique ce que j'ai appris pour écrire ⌣

Un débat s'organise au collège.

Faut-il commencer les cours une heure plus tôt le matin pour être libéré le vendredi après-midi ?

Rapportez par écrit les paroles du débat en mélangeant le discours direct et le discours indirect.

....
....
....
....
....
....
....
....
....

J'observe et je manipule

1 *Georges Duroy revoit ses parents après plusieurs années d'absence.*

Mais quand il se remit en marche, Duroy aperçut soudain, à quelques centaines de mètres, deux vieilles gens qui s'en venaient, et il sauta de la voiture, en criant :
– Les voilà. Je les reconnais.
[…] L'homme était petit, trapu, rouge et un peu ventru, vigoureux malgré son âge ; la femme, grande, sèche, voûtée, triste, la vraie femme de peine des champs qui a travaillé dès l'enfance et qui n'a jamais ri, tandis que le mari blaguait en buvant avec les pratiques[1].

G. de Maupassant, *Bel-Ami*, 1885.
1. Les ouvriers.

a. Entourez les mots indiquant qui voit la scène.

b. Où se situe Georges par rapport à ses parents ?
....
....

c. Soulignez toutes les précisions données à propos des parents de Georges.

d. Georges peut-il connaitre tout cela au moment où il aperçoit ses parents ?
○ oui   ○ non

bilan Georges est-il donc le seul à voir la scène ?
○ oui   ○ non

2 *Une nuit, Élisabeth pénètre dans l'une des chambres de la pension. Elle vient de craquer une allumette pour mieux voir.*

D'abord elle ne vit rien, aveuglée par cette flamme minuscule comme par un météore, et brusquement elle fut debout sans savoir ce qu'elle faisait. Étendu en travers du grand fauteuil de velours cerise aux reflets de braise, **un garçon** d'**environ** dix-sept ans dormait dans une de ces attitudes à la fois tragiques et nonchalantes par lesquelles le sommeil s'apparente à la mort.

J. Green, *Minuit*, 1936.

a. Qui voit qui dans cet extrait ?
....

b. De quel élément dépend la netteté de la vision du personnage ?
○ la lune dans la nuit   ○ la flamme de l'allumette

c. Pourquoi les mots en gras permettent-ils de comprendre que la description se limite au point de vue d'un seul personnage ?
....
....

bilan Quels sont les effets produits par ce type de point de vue ? ....

Je retiens

Le narrateur peut choisir des **points de vue différents** pour raconter une histoire.

1. Point de vue **omniscient** : le narrateur **sait tout** sur l'action et les personnages (leur passé, leurs pensées, leur avenir...). Le récit est à la **3ᵉ personne**.

2. Point de vue **interne** : le narrateur montre l'action **au travers du regard d'un personnage**. Le récit est à la **1ʳᵉ ou 3ᵉ personne**.

3. Point de vue **externe** : le narrateur rapporte l'action de l'**extérieur**, comme au travers d'une caméra témoin. Le récit est à la **3ᵉ personne**.

Point de vue		
Omniscient	**Interne**	**Externe**
• tout est su	• savoir limité à celui d'un personnage	• savoir limité (effet de la caméra témoin)
• 3ᵉ personne	• 1ʳᵉ ou 3ᵉ personne	• 3ᵉ personne
• détails réalistes (dates, âges, pensées...)	• perceptions sensorielles	• neutralité, objectivité
	• subjectivité	

Mon exemple Écrivez les références d'un livre que vous avez lu et précisez le point de vue adopté.
....

Je sais reconnaitre un point de vue narratif

3 * **Quel est le point de vue narratif dans chaque phrase ? Cochez la bonne réponse.**

1. Mon père était assis dans l'ombre, j'avais l'impression qu'il pleurait.   ○ interne   ○ omniscient

2. L'hiver avait été rude et il pouvait être plus terrible encore.   ○ externe   ○ omniscient

3. L'horloge sonna douze coups. Deux hommes se mirent à courir.   ○ interne   ○ externe

4. Un parfum délicat me saisit.   ○ interne   ○ omniscient

5. Une femme entre. Elle s'installe à une table libre.   ○ externe   ○ omniscient

Je comprends l'effet produit par un point de vue narratif

4 ** **Reliez chaque phrase à l'effet qu'elle produit.**

1. Je fus soudain aveuglé par les phares d'un • véhicule qui semblait foncer dans ma direction.

2. Ses yeux noirs révélaient une souffrance • enfouie durant cinq années de misère.

3. L'individu s'arrêta net devant la façade de • l'immeuble. « Encore raté. », lança-t-il.

• **A.** Le lecteur reste dans l'incompréhension *(point de vue externe)*.

• **B.** Le lecteur a l'impression de bien connaitre le personnage *(point de vue omniscient)*.

• **C.** Le lecteur s'identifie au personnage *(point de vue interne)*.

Je sais rédiger selon des points de vue différents

5 a. * **ORTHO** **Prolongez chaque portrait en respectant les choix narratifs.**

1. Une jeune femme au parfum délicat me tournait le dos. Je devinais à peine ....

....

2. Quarante-sept ans, quatre-vingt-huit kilos, Pierre Lebœuf était un de ces gaillards qui, ...

....

3. L'homme s'installa à une table. Il ôta son chapeau. Il s'empara de ....

....

b. ** **Quel type de point de vue avez-vous respecté ?**

1. ....   **2.** ....   **3.** ....

Je m'entraine à la réécriture   **BREVET**

6 *** **Réécrivez l'extrait à la 3e personne du point de vue du personnage féminin.**

Elle était assise, au milieu du banc, toute seule ; ou du moins il ne distingua personne, dans l'éblouissement que lui envoyèrent ses yeux. En même temps qu'il passait, elle leva la tête ; il fléchit involontairement les épaules ; et, quand il se fut mis plus loin, du même côté, il la regarda.

G. Flaubert, *L'Éducation sentimentale*, 1869.

Elle ....

....

....

....

....

J'applique ce que j'ai appris pour écrire ⌣

Décrivez une séance de SVT lorsque des élèves utilisent les microscopes. Choisissez votre point de vue pour la description : soit vous êtes l'un des élèves manipulateurs, soit vous observez vos camarades faire la manipulation.

....

....

....

....

....

....

....

44 Exprimer un avis, une opinion, un jugement

Connaissances et compétences visées

Dans cette leçon, je vais apprendre à :

✔ Distinguer avis, opinion et jugement
✔ Utiliser le lexique et les procédés d'écriture qui permettent d'exprimer un point de vue

J'observe et je manipule

1 « Le scénario de ce film, admirablement bien écrit, captive le spectateur qui est tenu en haleine pendant près de deux heures par une mise en scène habile et des acteurs brillants. »

a. Entourez les mots qui montrent que le journaliste a aimé le film.

b. Pour donner un avis opposé sur le film, surlignez dans la liste des mots pour remplacer ceux que vous avez entourés.

lasser • excellent • terne • merveilleusement • attachant • s'amuser • affreusement • adroitement • mal • inefficacement • grotesque • s'ennuyer • haletant • maladroit.

bilan Les mots que vous avez surlignés sont :

○ mélioratifs.   ○ neutres.   ○ péjoratifs.

2 Entourez les verbes de la liste qui expriment un jugement favorable (une approbation) et soulignez ceux qui expriment un jugement défavorable (une opposition).

abonder • s'indigner • apprécier
se révolter • adhérer • protester • s'insurger • consentir.

bilan D'après vous, qu'expriment les verbes de cette liste : participer, s'inscrire, s'impliquer, s'engager ?

3 Reliez chaque phrase au sens du verbe *juger* qui lui correspond.

1. Je **jugeai** que sa présence était nécessaire. •
2. Le tribunal **jugera** cette affaire le 22 novembre. •
3. C'est à vous de **juger** ce qu'il faut faire. •
4. **Jugez de** ma surprise lorsqu'il est arrivé ! •
5. C'est à son œuvre que l'on **juge** l'artisan. •

• connaitre
• imaginer
• penser
• prendre position, décider
• rendre la justice, statuer

Je retiens

1. Pour exprimer son **point de vue** sur un sujet, on peut :
   – **donner son avis**, exprimer une pensée personnelle résultant d'une réflexion personnelle ;
   – **faire part de son opinion**, communiquer une pensée subjective, partagée ou non par d'autres ;
   – **émettre un jugement**, formuler une appréciation, attribuer une valeur qui se veut objective.

2. On peut **approuver** (c'est l'approbation) ou **s'opposer** (c'est l'opposition ou la désapprobation).
   Pour cela, on utilise :
   – un vocabulaire adapté, avec des termes **mélioratifs** ou **péjoratifs**,
   – des **verbes d'opinion**,
   – des procédés d'écriture tels que **l'exagération** ou **l'ironie**.

3. Les fausses questions, appelées aussi **questions rhétoriques**, permettent d'exprimer un point de vue en s'adressant à un destinataire.

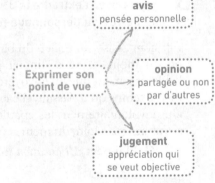

avis
pensée personnelle

Exprimer son point de vue

opinion
partagée ou non par d'autres

jugement
appréciation qui se veut objective

Mes exemples   « Une majorité d'adolescents utilise les réseaux sociaux. » Réécrivez cette phrase de manière à exprimer un jugement favorable (1) puis un jugement défavorable (2).

1. ....

2. ....

Je distingue avis, opinion et jugement

4 * **Pour chaque phrase, indiquez par un signe différent : « – » si le mot en gras a un sens péjoratif,**
« + » s'il a un sens mélioratif, ou « = » s'il décrit une réalité de façon neutre.

1. C'est un **grand** homme : il a fait beaucoup pour son pays. ....

2. Son **long** discours avait ennuyé l'assemblée. ....

3. La lune fait **briller** la surface du lac. ....

4. L'infirmière qui s'occupait des blessés malgré les tirs **a brillé** par son courage. ....

5. Un couloir **long** et étroit menait à la cuisine. ....

5 ** **Certains mots ou expressions permettent de nuancer un point de vue.**
Entourez-les dans les phrases suivantes.

1. Il faut admettre que ce journaliste est brillant.

2. Je dois avouer que tu es très convaincante.

3. Certes, cet objet est utile mais il est encombrant.

4. Sans doute a-t-il essayé mais le résultat est décevant.

5. Il est vrai qu'il est tôt ; tu dois cependant aller te coucher !

6 *** **Différents types de points de vue sont exprimés dans cet extrait. Pour chaque phrase, indiquez si, selon vous, il s'agit d'une opinion, d'un avis ou d'un jugement.**

On peut donc dire que cet armistice serait non seulement une capitulation, mais encore un asservissement.
Or, beaucoup de Français n'acceptent pas la capitulation ni la servitude […]. Cette guerre est une guerre mondiale.

C. de Gaulle, message radiodiffusé du 22 juin 1940 © éd. Plon, 1940.

J'utilise le lexique qui permet d'exprimer un point de vue

7 * **Encadrez les termes à l'aide desquels l'énonciateur exprime son point de vue.**

1. Je considère que c'est son meilleur film.

2. Selon moi, les tensions vont s'apaiser.

3. Vous avez fait, me semble-t-il, une erreur.

4. J'ai oublié de l'appeler ; j'en conviens.

8

Donc, la situation s'aggravait de jour en jour, la Compagnie renvoyait les livrets et menaçait d'embaucher des ouvriers en Belgique ; en outre, elle intimidait les <u>faibles</u>, elle avait décidé un certain nombre de mineurs à redescendre.

É. Zola, *Germinal*, 1885.

a. ** **Lisez cet extrait puis entourez les verbes qui expriment une opinion défavorable.**

b. ** **Proposez des antonymes pour les verbes entourés et le mot souligné.**

....

....

J'utilise les procédés d'écriture pour exprimer un point de vue

9 ** **Reliez chaque phrase au procédé d'écriture qu'elle contient.**

1. Comment peut-il, aujourd'hui, se passer d'Internet ? • — • exagération

2. Tu envoies un sms pendant le repas ! Comme c'est charmant ! • — • ironie

3. Je regarde la nouvelle série ; elle est trop géniale ! • — • question rhétorique

J'applique ce que j'ai appris pour écrire

Vous essayez de convaincre les élèves de votre classe de participer à un projet humanitaire. Donnez vos arguments en utilisant des mots et des tournures de phrase qui entrainent leur engagement.

....

....

....

....

Avez-vous bien compris les leçons
sur le texte ?
Vérifiez en lisant cet extrait et en répondant
aux questions d'un des groupes.

Un crime passionnel

Il arriva à Verrières un dimanche matin. Il
entra chez l'armurier du pays, qui l'accabla de
compliments sur sa récente fortune. C'était la
nouvelle du pays.

5 Julien eut beaucoup de peine à lui faire comprendre qu'il voulait une paire de pistolets. L'armurier sur sa demande chargea les pistolets.

Les *trois coups* sonnaient ; c'est un signal bien
connu dans les villages de France, et qui, après
10 les diverses sonneries de la matinée, annonce le
commencement immédiat de la messe.

Julien entra dans l'église neuve de Verrières.
Toutes les fenêtres hautes de l'édifice étaient voi-
lées avec des rideaux cramoisis. Julien se trouva à
15 quelques pas derrière le banc de Mme de Rênal.
Il lui sembla qu'elle priait avec ferveur. [La vue
de cette femme qui l'avait tant aimé fit trembler
le bras de Julien d'une telle façon qu'il ne put
d'abord exécuter son dessein.] **« Je ne le puis,**
20 **se disait-il à lui-même ; physiquement, je**
ne le puis ».

En ce moment, le jeune clerc qui servait la
messe sonna pour l'élévation[1]. Mme de Rênal
baissa la tête qui un instant se trouva presque
25 entièrement cachée par les plis de son châle.

Stendhal, *Le Rouge et le Noir*, 1830.
1. Moment où le prêtre élève l'hostie.

Je repère

1. Soulignez les indices de lieu et de temps du
récit. Ce repérage montre que l'action progresse
en ○ deux   ○ trois   ○ quatre étapes.

2. a. Qui parle au début de l'extrait (l. 1 à 7) ?

b. Soulignez l'expression qui indique un jugement
mélioratif au début du texte.

3. a. À quels personnages du texte les pronoms en
gras renvoient-ils ?

« **Il lui** sembla qu'**elle** priait avec ferveur. » (l. 16)

b. Qui observe et qui est observé ?

Je manipule

4. a. Entourez tous les indices du discours
direct de la phrase en gras dans le texte.
b. Réécrivez-la au discours indirect.
Julien se disait _____

5. a. « *de telle façon que* » (l. 18) est-il un repère :
○ spatial.   ○ temporel.   ○ logique.
b. Remplacez-le par un synonyme de votre choix.

J'écris

6. Réécrivez les lignes 13 à 21 en adoptant le
point de vue d'un homme assis derrière les deux
personnages.

Groupe 1, 2 ou 3 : *je rédige en respectant la consigne 6*

Groupe 2

Je repère

1. a. Soulignez les indices de temps. À quelle place apparaissent-ils dans chaque paragraphe ?

b. Soulignez d'une autre couleur les indices de lieu. Que remarquez-vous ?

2. a. À quels moments Julien prend-il la parole ?

b. Soulignez l'expression qui indique un jugement mélioratif au début du texte.

3. a. Soulignez les pronoms. À quels personnages du texte renvoient-ils ?

« Il lui sembla qu'elle priait avec ferveur. »

b. Qui observe et qui est observé ?

c. Quel est le type de point de vue choisi ?

Je manipule

4. a. Entourez tous les indices du discours direct de la phrase en gras dans le texte.

b. Réécrivez la phrase en gras au discours indirect.

5. Proposez une conjonction synonyme de « *d'une telle façon qu'il* » (l. 18).

J'écris

6. Réécrivez les lignes 13 à 21 en décrivant la scène du point de vue interne d'un homme qui se trouve assis sur un banc de l'église. Vous conserverez les temps du récit et l'utilisation de la 3e personne.

Groupe 3

Je repère

1. Identifiez le contexte spatio-temporel de l'extrait. Quelles en sont les différentes étapes ?

2. a. Quelles sont les deux situations d'énonciation présentes dans l'extrait ? Présentez-les précisément.

b. Soulignez l'expression qui indique un jugement de valeur au début du texte.

3. a. Soulignez les pronoms. À quels personnages renvoient-ils ?

« Il lui sembla qu'elle priait avec ferveur. »

b. Quel type de point de vue cette phrase annonce-t-elle ?

Je manipule

4. Transformez le passage au discours direct en discours indirect.

5. Quel lien logique existe-t-il entre les propositions de la phrase entre crochets (l. 16 à 19).

J'écris

6. Réécrivez les lignes 13 à 21 d'après le point de vue d'un personnage assis sur un banc de l'église juste derrière Julien. Vous réfléchirez au type de point de vue que vous devez choisir et vous en respecterez les caractéristiques.

Compétences évaluées	😊😐☹️
J'évalue mes acquis en complétant chaque smiley.	
1. J'ai identifié les situations d'énonciation.	😐
2. J'ai compris les reprises pronominales.	😐
3. J'ai compris les liens logiques.	😐
4. J'ai su manipuler les points de vue.	😐

Dans cette double page, vous allez apprendre à écrire la suite d'un récit en respectant des éléments précis.

Lisez l'extrait suivant :

La rempailleuse[1], une jeune femme pauvre, découvre que Chouquet, le pharmacien qu'elle aime depuis toujours, vient de se marier.

1   Un jour, en revenant dans ce village où son cœur était resté, elle aperçut une jeune femme qui sortait de la boutique Chouquet au bras de son bien-aimé. C'était sa femme. Il était marié.

Le soir même, elle se jeta dans la mare qui est sur la place de la Mairie.

5   Un ivrogne attardé la repêcha, et la porta à la pharmacie. Le fils Chouquet[2] descendit en robe de chambre, pour la soigner, et, sans paraître la reconnaître, la déshabilla, la frictionna, puis il lui dit d'une voix dure : « Mais vous êtes folle ! Il ne faut pas être bête comme ça ! »

Cela suffit pour la guérir. Il lui avait parlé ! Elle était heureuse pour
10   longtemps.

Il ne voulut rien recevoir en rémunération de ses soins, bien qu'elle insistât vivement pour le payer.

Et toute sa vie s'écoula ainsi. Elle rempaillait en songeant à Chouquet. Tous les ans, elle l'apercevait derrière ses vitraux. Elle prit l'habitude
15   d'acheter chez lui des provisions de menus médicaments.

Guy de Maupassant, « La Rempailleuse »,
Les Contes de la bécasse, 1883.

1. *rempailleuse* (n. f.) : personne dont le métier est de changer la paille des chaises (rempailler), petit métier qui permettait à peine de survivre.
2. Il s'agit du pharmacien.

Voici le sujet d'écriture.

Écrivez la suite de ce récit en imaginant que la rempailleuse déclare enfin son amour à l'homme qu'elle aime.
Vous rapporterez ses paroles au discours direct.

Mon travail préparatoire

Étape 1   J'utilise les informations du texte

Vous devez déjà vous demander quelles informations vous donne le texte source.

a. Qui est la rempailleuse ?
○ la femme de Chouquet   ○ une jeune femme pauvre

Quel est son métier ?

b. Quel métier exerce Chouquet ?
○ médecin   ○ pharmacien   ○ commerçant

Les deux personnages appartiennent-ils à la même classe sociale ?

c. Relevez deux citations du texte qui illustrent les sentiments successifs de la rempailleuse

1. Au début de l'extrait, elle est désespérée :

2. À la fin de l'extrait, elle est soulagée :

d. Qu'est-ce qui provoque le bonheur de la rempailleuse ?

Étape 2   J'analyse les caractéristiques du texte

a. Quels sont les temps verbaux utilisés dans le récit ?
○ le présent et le passé composé
○ le passé simple et l'imparfait

b. Quel narrateur prend en charge le récit ?
○ un narrateur extérieur à la troisième personne
○ un narrateur personnage à la première personne

➜ Si besoin, voir la leçon 43 de ce cahier.

Étape 3   Je respecte le sujet d'écriture

a. Que devez-vous écrire ?
○ la déclaration d'amour de Chouquet
○ la déclaration d'amour de la rempailleuse

b. Quelle forme doit prendre votre texte ?
○ des paroles rapportées directement
○ des paroles rapportées indirectement

➜ Si besoin, voir les leçons 41 et 42 de ce cahier.

Étape 4 Je commence mon travail au brouillon

Vous devez bien comprendre le texte source afin d'imaginer ce qui peut décider la rempailleuse à avouer enfin son amour au pharmacien.

a. Posez-vous les questions suivantes pour comprendre la fin du texte et imaginer la suite :
– comment la rempailleuse vit-elle pendant toutes ces années ?
– qu'est-ce qui peut, un jour, briser la monotonie de cette vie ?
– comment évolue le mariage de Chouquet ?

b. Afin que votre texte soit cohérent avec le texte source, vous devez soigner la phrase de transition entre les deux. Choisissez celle qui vous parait le mieux convenir :
○ Un jour, le pharmacien, intimidé, s'approcha d'elle.
○ Un jour, je me suis dit que j'allais lui déclarer mon amour.
○ Un jour, la rempailleuse sentit qu'elle devait lui déclarer son amour.

→ Si besoin, voir la leçon 9 de ce cahier.

Étape 5 Je rédige la suite du récit

a. Tout au long de votre travail d'écriture :
– relisez le texte source ;
– reportez-vous à la grille « Mon auto-évaluation ».

b. Pensez à vous relire en vous posant les questions suivantes :
– mon texte répond-il au sujet d'écriture ?
– mon texte me plait-il ?

Mon auto-évaluation Je relis ma production pour m'auto-évaluer en complétant chaque smiley.	☺ ☺ ☹
1. J'ai respecté les informations données dans le texte source.	⊙⊙
2. J'ai respecté les caractéristiques du texte : – le narrateur ; – les temps verbaux.	⊙⊙
3. J'ai respecté le sujet d'écriture : – une déclaration d'amour, – les contraintes formelles : discours direct.	⊙⊙
4. Je n'ai pas oublié la phrase de transition.	⊙⊙

Ma production

Dans cette double page,
vous allez apprendre
à faire parler
les personnages
dans un récit.
Vous allez observer
des indices
typographiques
mais également
des caractéristiques
langagières.

Voici le sujet d'écriture.

Imaginez la suite de ce texte.
Vous rédigerez la conversation
entre le fermier et M. d'Hubières
sous forme de dialogue.
Pour chaque personnage,
vous veillerez au choix du niveau
de langue.

Lisez l'extrait suivant :

> *Mme Henri d'Hubières, une jeune femme fortunée en mal d'enfant, propose à un couple de paysans d'adopter leur petit garçon.*
>
> Alors la jeune femme, d'une voix entrecoupée, tremblante, commença :
>
> – Mes braves gens, je viens vous trouver parce que je voudrais bien… je voudrais bien emmener avec moi votre… votre petit garçon…
>
> 5   Les campagnards, stupéfaits et sans idée, ne répondirent pas.
>
> Elle reprit haleine et continua.
>
> – Nous n'avons pas d'enfants ; nous sommes seuls, mon mari et moi… Nous le garderions… voulez-vous ?
>
> La paysanne commençait à comprendre. Elle demanda :
>
> 10   – Vous voulez nous prend'e Charlot ? Ah ben non, pour sûr.
>
> Alors M. d'Hubières intervint :
>
> – Ma femme s'est mal expliquée. Nous voulons l'adopter, mais il reviendra vous voir. S'il tourne bien, comme tout porte à le croire, il sera notre héritier. […]
>
> 15   **La fermière s'était levée, toute furieuse.**
>
> – Vous voulez que j'vous vendions Charlot ? Ah ! mais non ; c'est pas des choses qu'on d'mande à une mère, çà ! Ah ! mais non ! Ce s'rait une abomination.
>
> L'homme[1] ne disait rien, grave et réfléchi ; mais il approuvait sa 20 femme d'un mouvement continu de la tête.
>
> **G. de Maupassant**, « Aux Champs », in *Les Contes de la Bécasse*, 1883.

1. le mari de la paysanne.

Mon travail préparatoire

Étape 1   **J'identifie les paroles des personnages**

On identifie les paroles des personnages, rapportées directement dans un récit, à l'aide de signes typographiques.

a. Quels signes sont utilisés dans l'extrait ?

❒ les guillemets   ❒ les tirets   ❒ les deux-points

Le discours direct permet de rapporter les paroles des personnages telles qu'ils les prononcent et donc de rendre le texte plus vivant. L'auteur emploie alors des compléments de phrase pour indiquer la manière dont elles sont prononcées. On a ainsi un effet de réel.

b. Soulignez, dans la première phrase du texte, le complément qui indique la manière dont la jeune femme s'exprime. ....

Les indices caractéristiques du discours direct sont l'emploi des 1re et 2e personnes, du présent de l'énonciation, d'interjections et de signes de ponctuation forte (! ?)

c. Pour chaque caractéristique, retrouvez un exemple dans l'extrait et complétez le tableau.

Les indices caractéristiques du discours direct			
Pronoms personnels des 1re et 2e personnes	Verbes au présent d'énonciation	Interjections	Signes de ponctuation forte

➔ voir les leçons 41 et 42 de ce cahier.

Je choisis les verbes introducteurs de parole

Le verbe introducteur de parole est important. Il permet d'apporter de précieuses informations sur la manière dont sont prononcées les paroles et quelle est l'intention du personnage.

a. Quel verbe introducteur pouvez-vous utiliser après la phrase en gras ?

❏ s'écria   ❏ vociféra   ❏ s'emporta   ❏ hurla

b. Expliquez votre réponse : ....

....

....

c. Classez ces verbes introducteurs de paroles selon l'intention recherchée.

susurrer • s'indigner • chuchoter • vociférer • s'écrier • marmonner • s'esclaffer • murmurer • aboyer • tonitruer • balbutier • s'époumoner • geindre • s'égosiller

Paroles prononcées doucement	Paroles prononcées avec force

Je distingue les niveaux de langue

La façon de parler d'un personnage apporte des informations sur son éducation, son statut social et aussi sur son destinataire. On distingue trois niveaux de langue : courant, familier, soutenu.

a. Quel niveau de langue est utilisé par M. d'Hubières ?

....

b. Pourquoi le niveau de langue utilisé par la paysanne correspond-il à l'image que le lecteur se fait de ce personnage ?

....

....

Je fais parler les personnages

Remplacez la dernière phrase du texte par un passage au discours direct. Le mari de la paysanne prend alors la parole et s'indigne de la proposition de M. et Mme d'Hubières. Avant de commencer, demandez-vous :

– Quel niveau de langue vous allez utiliser • Pourquoi ?

– Comment vous introduirez les paroles • Avec quels verbes ?

Mon auto-évaluation Je relis ma production pour m'auto-évaluer en complétant chaque smiley.	😊 😐 😟
1. J'ai rédigé un dialogue entre deux personnages.	😐
2. J'ai varié les verbes introducteurs de paroles.	😐
3. J'ai adapté les niveaux de langue aux personnages.	😐
4. J'ai respecté tous les indices caractéristiques du discours direct.	😐

Ma production

....

....

....

....

....

....

....

....

....

....

....

....

Dans cette double page, vous allez apprendre à développer vos récits lors des exercices d'écriture en classe comme à la maison.

Lisez l'extrait suivant :

> Une après-midi, à la récréation de quatre heures, le grand Michu me prit à part, dans un coin de la cour. Il avait un air grave qui me frappa d'une certaine crainte ; car **le grand Michu** était un gaillard, aux poings énormes, que, pour rien au monde, je n'aurais voulu avoir pour ennemi.
> 5 — Écoute, me dit-il de sa voix grasse de paysan à peine dégrossi, écoute, veux-tu en être ?
> Je répondis carrément : « Oui ! » flatté d'être de quelque chose avec le grand Michu. Alors, il m'expliqua qu'il s'agissait d'un complot. Les confidences qu'il me fit, me causèrent une sensation délicieuse, que je n'ai jamais peut-être éprouvée depuis. Enfin, j'entrais dans les folles aventures 10 de la vie, j'allais avoir un secret à garder, une bataille à livrer. Et, certes, l'effroi inavoué que je ressentais à l'idée de me compromettre de la sorte, comptait pour une bonne moitié dans les joies cuisantes de mon nouveau rôle de complice. [...]

E. Zola, incipit de « Le grand Michu »,
Nouveaux contes à Ninon, 1874.

Voici le sujet d'écriture.

Inventez la suite de ce récit en commençant par la phrase « Le grand Michu m'attendait comme prévu ». Vous développerez votre récit en décrivant les sentiments du narrateur-personnage.

Mon travail préparatoire

Étape 1 **Je développe mon récit à l'aide de GN étendus**

Pour développer son récit sans l'alourdir, une première astuce consiste à développer les groupes nominaux minimaux (un déterminant + un nom) en y ajoutant des expansions. Ex. :

« les folles aventures de la vie »

déterminant + adjectif + nom + complément du nom

« une sensation délicieuse, que je n'ai jamais peut-être éprouvée depuis. »

dét. + nom + adjectif + proposition subordonnée relative

On obtient ainsi un groupe nominal étendu.

a. Soulignez dans la dernière phrase deux GN étendus.

b. Entrainez-vous avec le jeu de la pyramide. Sur le modèle, inventez un groupe nominal étendu en vous inspirant du texte.

Modèle

nom

déterminant + nom

déterminant + nom + adjectif

dét. + nom + adj. + complément du nom

dét. + nom + adj. + comp. du nom + prop. subordonnée relative

paysan

....

....

....

....

➔ Si besoin, voir les leçons 13, 16, 17, 18 de ce cahier.

Étape 2 **J'apporte des informations et j'évite les répétitions**

Dans un récit, les reprises nominales permettent d'éviter les répétitions et apportent des informations sur les personnages.

Proposez une reprise nominale pour remplacer l'élément en gras dans le texte.

➔ Si besoin, voir la leçon 40 de ce cahier.

Étape 3 **Je limite l'utilisation des verbes « être » et « avoir »**

Pour développer son récit, il faut être également attentif-ve à ne pas employer systématiquement les verbes *être* et *avoir* dans chaque phrase. Ex. :

le grand Michu était un gaillard, aux poings énormes,

Ici, le GN mis en apposition permet d'éviter l'emploi du verbe « avoir ».

Observez la première phrase du texte. Comment É. Zola a-t-il réussi à ne pas employer le verbe « être » ?

....

....

....

Étape 4 | Je précise les circonstances

Les informations circonstancielles permettent de développer un récit tout en apportant des indications sur le temps, le lieu, la manière... dont se sont déroulés les faits. Ex. :

« Une après-midi, à la récréation de quatre heures, le grand Michu me prit à part, dans un coin de la cour. »

a. Pour chaque complément de phrase, demandez-vous s'ils indiquent :

le temps	le lieu

b. Relevez dans le texte un adverbe de manière.

→ Si besoin, voir les leçons 31 et 35 de ce cahier.

Étape 5 | J'articule mon récit avec des connecteurs temporels et logiques

Dans un récit, les actions sont liées à l'aide de connecteurs qui mettent en évidence les enchaînements. Ex. :

« Je répondis carrément : "Oui !" flatté d'être de quelque chose avec le grand Michu. Alors, il m'expliqua qu'il s'agissait d'un complot. »

Relevez deux connecteurs logiques utilisés dans le texte.

→ Si besoin, voir la leçon 38 de ce cahier.

Étape 6 | Je m'exerce à développer mon récit

Soulignez dans le texte la phrase dont le sens se rapproche de celle-ci : « Et la peur se mêlait à la joie de mon nouveau rôle. »

En vous aidant des différentes étapes de cette fiche Méthode, inventez la suite de ce récit en commençant par la phrase : « Le grand Michu m'attendait comme prévu ». Vous développerez votre récit en décrivant les sentiments du narrateur-personnage.

Mon auto-évaluation Je relis ma production pour m'auto-évaluer en complétant chaque smiley.	☺ ☺ ☹
1. J'ai apporté des informations sur les sentiments du narrateur-personnage.	⊙⊙
2. J'ai limité l'emploi des verbes « être » et « avoir ».	⊙⊙
3. J'ai précisé les circonstances de cette rencontre.	⊙⊙
4. J'ai utilisé des connecteurs logiques pour faire progresser mon récit.	⊙⊙

Ma production

ÊTRE

INDICATIF

Présent		Passé composé		
je	suis	j'	ai	été
tu	es	tu	as	été
il, elle	est	il, elle	a	été
nous	sommes	nous	avons	été
vous	êtes	vous	avez	été
ils, elles	sont	ils, elles	ont	été

Imparfait		Plus-que-parfait		
j'	étais	j'	avais	été
tu	étais	tu	avais	été
il, elle	était	il, elle	avait	été
nous	étions	nous	avions	été
vous	étiez	vous	aviez	été
ils, elles	étaient	ils, elles	avaient	été

Passé simple		Passé antérieur		
je	fus	j'	eus	été
tu	fus	tu	eus	été
il, elle	fut	il, elle	eut	été
nous	fûmes	nous	eûmes	été
vous	fûtes	vous	eûtes	été
ils, elles	furent	ils, elles	eurent	été

Futur simple		Futur antérieur		
je	serai	j'	aurai	été
tu	seras	tu	auras	été
il, elle	sera	il, elle	aura	été
nous	serons	nous	aurons	été
vous	serez	vous	aurez	été
ils, elles	seront	ils, elles	auront	été

SUBJONCTIF

Présent		Imparfait	
que je	sois	que je	fusse
que tu	sois	que tu	fusses
qu'il, elle	soit	qu'il, elle	fût
que nous	soyons	que nous	fussions
que vous	soyez	que vous	fussiez
qu'ils, elles	soient	qu'ils, elles	fussent

CONDITIONNEL

Présent	
je	serais
tu	serais
il, elle	serait
nous	serions
vous	seriez
ils, elles	seraient

IMPÉRATIF
Présent : sois, soyons, soyez

PARTICIPE
Présent	Passé
étant	été

INFINITIF
être

AVOIR

INDICATIF

Présent		Passé composé		
j'	ai	j'	ai	eu
tu	as	tu	as	eu
il, elle	a	il, elle	a	eu
nous	avons	nous	avons	eu
vous	avez	vous	avez	eu
ils, elles	ont	ils, elles	ont	eu

Imparfait		Plus-que-parfait		
j'	avais	j'	avais	eu
tu	avais	tu	avais	eu
il, elle	avait	il, elle	avait	eu
nous	avions	nous	avions	eu
vous	aviez	vous	aviez	eu
ils, elles	avaient	ils, elles	avaient	eu

Passé simple		Passé antérieur		
j'	eus	j'	eus	eu
tu	eus	tu	eus	eu
il, elle	eut	il, elle	eut	eu
nous	eûmes	nous	eûmes	eu
vous	eûtes	vous	eûtes	eu
ils, elles	eurent	ils, elles	eurent	eu

Futur simple		Futur antérieur		
j'	aurai	j'	aurai	eu
tu	auras	tu	auras	eu
il, elle	aura	il, elle	aura	eu
nous	aurons	nous	aurons	eu
vous	aurez	vous	aurez	eu
ils, elles	auront	ils, elles	auront	eu

SUBJONCTIF

Présent		Imparfait	
que j'	aie	que j'	eusse
que tu	aies	que tu	eusses
qu'il, elle	ait	qu'il, elle	eût
que nous	ayons	que nous	eussions
que vous	ayez	que vous	eussiez
qu'ils, elles	aient	qu'ils, elles	eussent

CONDITIONNEL

Présent	
j'	aurais
tu	aurais
il, elle	aurait
nous	aurions
vous	auriez
ils, elles	auraient

IMPÉRATIF
Présent : aie, ayons, ayez

PARTICIPE
Présent	Passé
ayant	eu

INFINITIF
avoir

AIMER

INDICATIF

Présent		Passé composé		
j'	aime	j'	ai	aimé
tu	aimes	tu	as	aimé
il, elle	aime	il, elle	a	aimé
nous	aimons	nous	avons	aimé
vous	aimez	vous	avez	aimé
ils, elles	aiment	ils, elles	ont	aimé

Imparfait		Plus-que-parfait		
j'	aimais	j'	avais	aimé
tu	aimais	tu	avais	aimé
il, elle	aimait	il, elle	avait	aimé
nous	aimions	nous	avions	aimé
vous	aimiez	vous	aviez	aimé
ils, elles	aimaient	ils, elles	avaient	aimé

Passé simple		Passé antérieur		
j'	aimai	j'	eus	aimé
tu	aimas	tu	eus	aimé
il, elle	aima	il, elle	eut	aimé
nous	aimâmes	nous	eûmes	aimé
vous	aimâtes	vous	eûtes	aimé
ils, elles	aimèrent	ils, elles	eurent	aimé

Futur simple		Futur antérieur		
j'	aimerai	j'	aurai	aimé
tu	aimeras	tu	auras	aimé
il, elle	aimera	il, elle	aura	aimé
nous	aimerons	nous	aurons	aimé
vous	aimerez	vous	aurez	aimé
ils, elles	aimeront	ils, elles	auront	aimé

SUBJONCTIF

Présent		Imparfait	
que j'	aime	que j'	aimasse
que tu	aimes	que tu	aimasses
qu'il, elle	aime	qu'il, elle	aimât
que nous	aimions	que nous	aimassions
que vous	aimiez	que vous	aimassiez
qu'ils, elles	aiment	qu'ils, elles	aimassent

CONDITIONNEL

Présent	
j'	aimerais
tu	aimerais
il, elle	aimerait
nous	aimerions
vous	aimeriez
ils, elles	aimeraient

IMPÉRATIF
Présent : aime, aimons, aimez

PARTICIPE
Présent	Passé
aimant	aimé

INFINITIF
aimer

Comment accorder le PARTICIPE PASSÉ ?

avec l'auxiliaire AVOIR

⚠ JAMAIS d'accord avec le sujet

▸ COD après le verbe : le participe passé reste au masc. sing.
Ex : Elle a aimé cette comédie.

▸ COD avant le verbe : accord en genre et en nombre avec le COD.
Ex : Quelles informations as-tu lues ?
Tes livres ? Je les ai lus.

avec l'auxiliaire ÊTRE

▸ accord en genre et en nombre avec le sujet.
Ex : Elle est allée au cinéma.
Ils sont partis hier.